AVENIDA BRASIL²

Livro de exercícios

De:

Emma Eberlein O. F. Lima
Cristián González Bergweiler
Tokiko Ishihara

Consultor pedagógico

Lutz Rohrmann

Ilustrações

Khaled Kalil Kanbour

E.P.U. **EDITORA PEDAGÓGICA E UNIVERSITÁRIA LTDA.**

AVENIDA BRASIL
Curso básico de Português para estrangeiros

De:

Emma Eberlein O. F. Lima, professora de Português para estrangeiros em São Paulo.
  Co-autora de: Falando Lendo Escrevendo Português – Um curso para estrangeiros (EPU);
  Português Via Brasil – Curso avançado para estrangeiros (EPU); Inglês – Telecurso de
  Segundo Grau (Fundação Roberto Marinho).
  Diretora da Polyglot – Cursos de Português para estrangeiros em São Paulo

Cristián González Bergweiler, professor de Português e Alemão para estrangeiros

Tokiko Ishihara, professora do Departamento de Letras Modernas da Universidade de São Paulo.
  Foi professora de Português no Centro de Lingüística Aplicada de Besançon.

Consultor pedagógico
Lutz Rohrmann

Projeto visual
Khaled Kalil Kanbour (ilustrações),
Cristián González Bergweiler (diagramação e fotografia) e
Lutz Rohrmann (projeto visual básico)

Capa
Ornaldo Fleitas; fotos: Lutz e Sybille Rohrmann

Dados Internacionais de Catalogação na Publicação (CIP)
(Câmara Brasileira do Livro, SP, Brasil)

```
        Lima, Emma Eberlein O. F.
      Avenida Brasil: curso básico de português para estrangeiros:
      livro de exercícios / Emma Eberlein O. F. Lima, Tokiko
      Ishiara, Cristián  González Bergweiler; consultor pedagógico
      Lutz Rohrmann; projeto visual Kaled Kalil Kanbour.
      São Paulo, E.P.U., 1995.

        ISBN 85-12-54752-9

        1.Português - Estudo e ensino - Estudantes estrangeiros
      I. Ishiara, Tokiko. II.González Bergweiler, Cristián.
      III.Título.

95-3590                                          CDD-469.824
```

Índices para catálogo sistemático:
1.Português para estrangeiros   469.824

*I*ª reimpressão

ISBN 85-12-**54752**-9

 E. P. U. - **Tel.** (011) 829-6077 - **Fax.** (011) 820-5803 R. Joaquim Floriano, 72 - 6º and. - sl. 65 - 04534-000 São Paulo - SP
E-Mail: vendas@epu.com.br **Site na Internet:** http://www.epu.com.br

Impresso no Brasil

Printed in Brazil

Sumário

Símbolos utilizados em Avenida Brasil

diálogo / texto na fita

escreva no livro

escreva no caderno

exercício de leitura

exercício de audição

trabalho com o dicionário

Lição 1

1. Usando A1 do livro-texto como modelo, escreva um parágrafo sobre a língua do seu país.

A língua do meu país é falada por ... ...

No meu país tem muitos dialetos. No norte ...

2. Quando você utiliza as expressões para introduzir uma fala? Relacione.

pensando bem — você se lembrou de outra coisa relativa ao assunto
veja bem — você quer chamar a atenção da pessoa para alguma coisa
bom — você cansou do tema da conversa
falando nisso — você mudou de idéia
mudando de assunto — você está ganhando tempo
aliás

3. Escreva um ou dois parágrafos sobre variantes regionais ou nacionais de sua língua.

2. Voz passiva com *ser* B1

1. Complete

a) O Brasil _____ (descobrir) em 1500 por Pedro Álvares Cabral.

b) A Paula passou mal e _____ (levar) ao hospital pelo marido ontem à noite.

c) Os paulistas _____ (considerar) trabalhadores pelos gaúchos.

d) A ministra da indústria e comércio _____ (entrevistar) pela TV amanhã.

e) O café brasileiro _____ (exportar) para o mundo todo.

f) Duvido que seu carro _____ (lavar) mais do que uma vez por ano!

g) Todo os anos, mais de 500 malas e sacolas _____ (esquecer) no metrô de São Paulo.

h) Antigamente as mulheres _____ (educar) para o lar.

2. Faça frases

a) Relatório / precisar / terminar / hoje   *O relatório precisa ser terminado hoje.*

b) Malas / poder / deixar / na recepção ——————————————

c) Ótimas praias / poder / encontrar / no Nordeste ——————————

d) Os formulários preenchidos / dever / devolver / à professora ——————

e) O meu carro / ter que / levar / à oficina ——————————————

f) A Miriam / querer / apresentar / ao seu irmão ——————————

5

B2   3. Particípios duplos

Complete com os verbos da caixa na forma adequada.

aceitar	expulsar	aceitar	expulsar	acender	matar	acender	morrer

a) Ele tinha _____ o emprego, mas pensou melhor e desistiu.

b) Claudia e Alexandra foram _____ da sala pelo professor.

c) Que bom, o Pedro foi _____ para o cargo de gerente.

d) As meninas tinham _____ os rapazes da sala, pois queriam preparar uma brincadeira.

e) Eu já tinha _____ o cigarro quando vi a placa de "Proibido fumar"

f) Acampar na praia foi um inferno: só no primeiro dia já tínhamos _____ mais de cem mosquitos!

g) Todos os holofotes do estádio foram _____.

h) Baratas são uma praga e dificilmente são _____ por inseticidas.

B3   4. Voz passiva com *-se*

deixar o feijão de molho

No dia anterior deixa-se o feijão de molho

picar a couve

cortar as laranjas

cozinhar o feijão

cozinhar o arroz

juntar a carne

cortar a carne

preparar a caipirinha e os salgadinhos

a) A  está  ultimamente porque ela _____ (comer) muito ultimamente. Ela precisa fazer um regime.

b) O _____ (estar) muito _____ ultimamente porque _____ (dar) muitas aulas.

c) Nós _____ (dormir) até às ultimamente porque não precisamos trabalhar de manhã.

d) O _____ _____ (receber) muito dinheiro ultimamente porque ele _____ (feito) shows todas as noites.

6. De Norte a Sul   C

ALUMIAR
1. Iluminar, clarear.

BRUACA
1. Mulher velha e feia.

BEBO
1. Embriagado, bêbado

ENXOMBRADO
1. Úmido #*A toalha está emxombrada*#
2. Enxaguado

GALEGO
1. Loiro
2. Estrangeiro

Extraído do Minidicionário de Pernambuquês *de Bertrando Bernardino*

CHUPADO adj.
  Embriagado.

CRESCER, v. Tomar atitude agressiva contra alguém: "O touro *cresceu* para cima do peão", isto é, investiu contra ele. [...]

LÁBIA, s. Habilidade na conversa.

NÃO GASTAR PÓLVORA EM CHIMANGO, expr. Não perder tempo dando atenção a quem não merece.

PASSAR UM PITO, expr. Repreender, descompor.

Extraído do Dicionário de Regionalismos do Rio Grande do Sul, *de Zeno Cardoso Nunes e Rui Cardoso Nunes*

Relacione as definições nas caixas às definições abaixo.

a) Pessoa de cabelo claro
b) Jogar luz
c) Pessoa que bebeu demais
d) Atacar
e) Chamar a atenção de alguém
f) Nem seco nem molhado
g) Talento para convencer os outros
h) Mulher de idade e feia
i) Ignorar pessoas desinteressantes

Abaixo estão alguns verbetes do "Dicionário de português - Schifaizfavoire - Crônicas lusitanas", de Mário Prata.

1. Leia os verbetes abaixo e aponte o significado de cada título.

Ementa

Com tanta influência francesa, não sei por que cardápio não se chama menu em Portugal. Cuidado com a pronúncia nos restaurantes, pois, como eles não têm pimenta, cada vez que você pedir esse condimento, pode acontecer de eles lhe trazerem, novamente, a ementa. Pensando bem, eles têm a pimenta-do-reino, a famosa especiaria das Índias, lembra, do ginásio?

Fato

Não confundir fato com facto. Facto é acontecimento, e fato, aquilo que você veste para ir a certos acontecimentos. De facto, fato é terno.

Empregado de mesa

Este é um dos maiores problemas de comunicação de Portugal. É o único lugar do mundo onde garçom não tem nome. É muito chato você ficar chamando: ô, empregado de mesa!!! Mas, na verdade, com o tempo você vai descobrindo como é que se chama garçom aqui. É assim: Sefazfavor (Schifaizfavoire). Ele atende na hora.

Água fresca

Sempre que você pedir uma água, em restaurante ou bar, a primeira coisa que vão lhe perguntar é: fresca? Ou seja: água gelada?

Água lisa

E a segunda pergunta é: lisa? Ou seja: água sem gás?

Factura

É o que você deve pedir para todo mundo, porque depois o seu contador vai lhe solicitar. Até mesmo chofer de táxi dá factura em Portugal. É aquilo que ninguém dá no Brasil: nota fiscal. E atenção: nos restaurantes não peça a nota que eles não sabem o que é. Pedir a notinha, então, nem pensar... Notinha???, eles vão estranhar.

Faz favor!

Com toda certeza é a expressão mais usada em Portugal: Faz favor! ou Se faz favor! Serve para quase tudo, principalmente para chamar alguém, a atenção de alguém. Ao entrar numa loja, você ou o vendedor vai logo dizendo um Se faz favor! Trocado em miúdos, quer dizer pois não?, psiu, ei, com licença etc.

2. Leia agora o verbete *Café-com-leite*. Você consegue imaginar porque o autor não reconheceu o carro? Se não, vire seu livro e leia o final.

Café-com-leite

Um dia marquei encontro com um gajo que eu não conhecia nem ele a mim. Mas ele deu uma dica. Passaria em tal esquina com um carro cor de café-com-leite. Evidentemente, fiquei esperando um carro marrom, bege no máximo. Minha dúvida era se seria mais claro ou mais escuro. E nada dele aparecer. Depois de muito tempo parou um carro e o motorista perguntou se era eu.. Sou. E ele reclamou: já passei aqui mais de cinco vezes e você não reconheceu o carro? Não...

O carro era preto com capota branca. Dias depois, contei esta história a um amigo português e ele me disse, brincando, mas esse gajo é daltônico. Carro café-com-leite é castanho e branco...

3. Por que o livro traz o título de Schifaizfavoire? Qual é o significado dessa "palavra"?

1. Ouça o poema e diga se as afirmações abaixo estão certas (C) ou erradas (E).

( ) O Tejo passa pela aldéia do autor
( ) Ninguém conhece o rio da aldéia dele
( ) Pelo rio da aldéia dele navegaram as naus

2. Procure as palavra "navio" e "nau" no dicionário. A que se refere o autor quando fala da "memória das naus" ?

9. Traduzindo   E

Trabalhe com seu dicionário. "Traduza" as frases abaixo para o Português do Brasil.

Preciso correr, se não perco o comboio.
Façam bicha de dois, por favor!
Eu ligo hoje à noite, ocapa?
Chame os miúdos para jantar.
Onde há fumo há fogo.

Passei a tarde olhando escaparates no centro.
Perdi o elétrico! Agora vou precisar tomar um táxi.
Onde fica a casa de banhos, por favor?
Desculpem, estou um bocadinho atrasada.

10. Organize

A que se referem estas palavras? Separe-as em colunas. Algumas palavras podem ser colocadas em mais de uma coluna.

a aldeia - a bota - a banheira - o barraco - a barraca - o cais - o barbeiro - o homem de negócios - o bolso -loiro - o bidê - o colar - o armazém - o beco - os arredores - a cantina - a favela - o guichê - o edifício - a lareira - o chapéu - o largo - a hora extra - a cabine - a feira - o colchão - a louça - o lote (de terreno)

Moradia	Trabalho	Lugar	Vestuário

11. Relacione

Diga o que a gente pode fazer com

leite	engolir
um pedaço de pão	julgar
uma faca	ler
um presente	despejar
uma dúvida	ouvir
um suspeito	festejar
um degrau	dobrar
uma data importante	ferir-se
perfume	guiar
o joelho	esclarecer
motocicleta	cheirar
correspondência	subir
banda	embrulhar

Faça o mesmo

um conselho	lutar
o inimigo	quebrar
um disco, um CD	atravessar
um galho de árvore	ouvir
uma gota	jogar fora
um erro	gravar
uma fronteira	descascar
um ovo	enjoar
o bagaço da laranja	consultar
a lista telefônica	corrigir
muito açúcar no café	beber

Lição 2

1. Requisitos

Complete.

Para ser dentista, é necessário que		facilidade de expressão oral
Você quer ser advogado?		bem informado
Então é importante que	tenha	habilidade manual
Para ser relações públicas		disponibilidade para viajar
é preciso que		conhecimento de informática
Quer ser um bom médico?		hábil no tratamento com as
Então é bom que		pessoas
Jornalista é o que você quer ser?	você	domínio da língua materna
Então é fundamental que		bons contatos
Você quer ser analista de sistemas?		talento para desenho, matemática
Então é importante que	seja	ótimos conhecimentos de línguas
Quer ser político? ...		estrangeiras
Quer ser professor? ...		
Arquiteto é o que você ...? ...		
Agrônomo		

2. A escola

Relacione

- o 2o grau   - curso preparatório para a entrada na universidade
- o vestibular   - registro de entrada num curso
- o cursinho   - uma das escolas da universidade
- a vaga   - curso regular para jovens entre 15 e 17 anos
- a matrícula   - lugar disponível
- a faculdade   - exame de seleção para admissão à universidade

3. Presente do subjuntivo com expressões impessoais + *que*

1. Complete as frases.

a) É melhor que você <u>saiba</u> a verdade. (saber)

b) Para viajar, é necessário que a gente _____. (ter dinheiro)

c) É provável que amanhã todo mundo _____ (querer saber) o que aconteceu.

d) Para não chegar lá atrasado, é melhor que você _____. (sair bem cedo)

e) Um carro tão bonito...! É pena que Mônica não _____. (saber dirigir)

2. Complete a frase. Escolha uma ou mais alternativas.

a. Para ter amigos, é necessário
   que a gente:
   - ter muito dinheiro
   - ser tolerante
   - gostar deles
   - poder sair à noite

b. Para ser um bom motorista, basta que a gente
- conhecer bem a cidade
- saber os segredos do carro
- ver longe e ouvir bem
- ser cuidadoso
- ter carteira de motorista

c. Para ser um bom fotógrafo, é interessante que a gente
- ter uma máquina fotográfica
- conhecer a técnica
- querer tirar boas fotos
- ter sensibilidade

4. Pretérito perfeito do subjuntivo   B2

1. Complete com o presente *(fale)* ou pretérito perfeito do subjuntivo *(tenha falado)*.

a) É provável que ele não <u>tenha feito</u> o trabalho ontem. É possível que ele o <u>faça</u> hoje.

b) Duvido que ele _____ (falar) bem inglês. Eu nunca o vejo falando.

c) É possível que ele _____ (falar) com o chefe ontem.

d) É pena que eles_____ (ser) sempre impaciente.

e) É pena que você não _____ (ter) paciência com ele ontem.

f) É provável que ele _____ (ter) problemas no escritório. Ele sempre reclama do trabalho.

g) É provável que ele _____ (ter) problemas no escritório ontem. Ele chegou em casa muito nervoso.

h) Tomara que eles _____ (poder) vir amanhã. Preciso muito falar com eles.

i) Tomara que eles _____ (tomar) o avião ontem. O aeroporto ficou fechado por causa da neblina durante algumas horas.

j) Não acredito que eles _____ (fazer) o serviço sempre sozinhos.

l) Não é possível! Não acredito que ontem ele _____ (fazer) tudo sozinho!

2. Pretérito perfeito simples ou composto? Complete a carta.

Rio, 3 de dezembro

Caro André,
Eu não lhe _____ antes porque _____ muito ultimamente. _(escrever)_ _(trabalhar)_
   Nesses últimos meses, nós só _____ problemas com nossos clientes. _(ter)_
   Eu não _____ outra coisa a não ser trabalhar, trabalhar,
(fazer)
trabalhar... Ontem _____ até às 10 horas no escritório! Um
horror! _(ficar)_
Quanto ao resto, tudo bem. A praia continua onde você a
_____.
(deixar)
Vejo-a todos os dias quando vou ao escritório. O sol ...

5. Pronomes demonstrativos + advérbios de lugar

1. Complete

a) Complete com este(s), esta(s), isto.

_____sala

_____sofá

_____poltronas

Que horror! Eu não vou comprar _____!

b) Complete com esse(s), essa(s), isso.

_____cursos

_____matérias

_____testes

Que horror! Eu não vou estudar _____!

c) Complete com aquele(s), aquela(s), aquilo.

_____salários

_____chefe

_____greve

Que horror! Eu não vou aceitar _____!

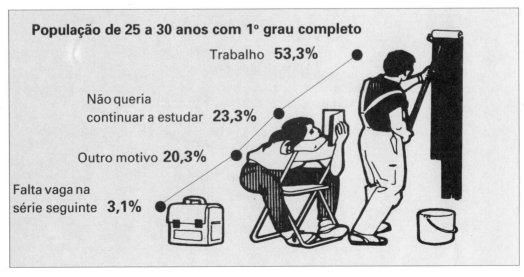

2. Relacione.

este   aquilo

aí   isto

ali

essa   lá

aquele   esse

aqui

3. Complete com este, esse, aquele, aquilo etc.

a. Ninguém quer comprar _____ blusa lá. É muito feia.
b. Você viu _____ aí? Não é estranho?
c. Você precisa ler _____ história aqui. É ótima!
d. O que é _____ lá na estrada? Uma bicicleta? Uma moto?
e. Você escreveu _____ aqui? Não posso acreditar!
f. Quem são _____ homens ali? Estou com medo!
g. _____ documentos aqui precisam ser assinados hoje. São urgentes.
h. Cuidado com _____ xícaras aí! Você vai quebrá-las!
i. O que é _____ aqui? Quem pôs _____ aqui? Você sabe?

C   6. No Brasil, razões para abandono da escola

População de 25 a 30 anos com 1° grau completo

Trabalho **53,3%**

Não queria
continuar a estudar **23,3%**

Outro motivo **20,3%**

Falta vaga na
série seguinte **3,1%**

1. Analise o gráfico da página anterior e complete o texto com a ajuda de A3 do livro-texto (pág. 18)

São muitos os jovens que _____ a escola ao terminar o 1º grau. Depois de _____ anos freqüentando a escola diariamente, com _____ anos de idade, 23,3% dos jovens simplesmente resolvem parar. A grande $\frac{maioria}{minoria}$, no entanto, interrompe os estudos porque precisa _____. São, geralmente, jovens de poucos recursos, que trocam os bancos da escola pelo balcão das lojas, pelas caixas dos supermercados. Outros, poucos, param de estudar porque não encontram _____ no 2º grau.

2. Baseando-se no gráfico da página anterior, escreva um parágrafo sobre a situação dos jovens da mesma idade de seu país.

7. O dia do pendura   D1

Ouça o texto e assinale certo (C) ou errado (E) para cada alternativa.

O Dia do Pendura

(   )   é .organizado pela direção da Faculdade
(   )   é brincadeira muito antiga
(   )   ficou mais violenta com o passar dos anos
(   )   não é tolerado pelos restaurantes
(   )   é bem humorado

8. SENAI – SENAC   D2

1. Leia o texto e responda às perguntas.

a) O que quer dizer a sigla SENAI?
b) Quem criou o SENAI?
c) Por que o SENAI foi criado?
d) Atualmente, em que regiões do Brasil funciona o SENAI?

SENAI.
A INDÚSTRIA BRASILEIRA FAZ ESCOLA
HÁ 50 ANOS.

1942. O mundo sofre com a II Guerra Mundial. E o Brasil se esforça para instalar suas primeiras indústrias, esbarrando numa dificuldade: a falta de mão-de-obra qualificada.

Um grupo de industriais decide, então, organizar uma entidade destinada a treinar o pessoal para o trabalho nas fábricas.

Assim nasceu o SENAI – Serviço Nacional de Aprendizagem Industrial.

1992. O SENAI completa 50 anos trabalhando para o trabalhador. E já conta com 6.000 professores e instrutores, 790 unidades de ensino espalhadas por todo o país e 1.200.000 alunos matriculados a cada ano.

Um diploma do SENAI abre muitas portas no mercado de trabalho.

Nestes 50 anos de vida, o SENAI já matriculou 14 milhões de alunos.

São 14 milhões de motivos para você acreditar no futuro.

CNI

2. Leia o texto sobre o SENAC.

ENTRE PARA O SENAC DE SÃO PAULO E SAIA DO ANONIMATO.

Informática, Tecnologia Educacional, Saúde, Beleza, Moda, Turismo e Hotelaria, Marketing, Varejo, Desenvolvimento de Negócios, Idiomas, Fotografia, Vídeo, Computação Gráfica, Propaganda, Administração Financeira, Contábil e de Recursos Humanos.

Em todas essas e outras áreas o SENAC de São Paulo vem desenvolvendo pessoas e organizações há mais de 45 anos, numa ação educacional voltada para o conhecimento em comércio e serviços.

Se a sua empresa precisa crescer ou você quer ser um profissional bem qualificado e atualizado, conheça os produtos e serviços com a marca SENAC: cursos, seminários, assessorias, organização de eventos e convenções, debates e *softwares* educacionais.

senac

CONHECIMENTO EM COMÉRCIO E SERVIÇOS

TEL.: (001) 256-5522 – São Paulo – Brasil

a) O SENAC desenvolve programas de ensino na área de comércio e serviços. Relacione os cursos e os profissionais preparados pelo SENAC com as áreas em que atuam.

Profissionais e cursos	Áreas
professor de ginástica	Saúde
fotógrafo	Beleza
costureira	Tecnologia Educacional
digitador	Moda
guia de turismo	Turismo
cabeleireiro	Hotelaria
estilista de modas	Marketing
datilógrafa	Idiomas
garçom	Fotografia
contador	Vídeo
cozinheiro	Administração Financeira e Contábil
cursos de inglês	Recursos Humanos
vendedor	
cursos de treinamento	
maquiador	

b) O que quer dizer a sigla SENAC? Adivinhe!

9. Relacione. E

fazer   no exame, no teste
passar   um teste, um exame
receber   as aulas, uma escola
freqüentar   um diploma
participar   a aula
faltar   de ano
perder   da formatura

10. Explique. O que é...

matricular-se num curso	formar-se em medicina, em direito
a matéria	
pular um ano	terminar o 2o grau
	ser superdotado

11. Separe por categorias

buzinar	as ciências	a cooperativa
a encomenda	o engarrafamento	o cartaz
a gorjeta	grátis	a esferográfica
a filosofia	o camelô	a engenharia
o certificado	copiar	(pagar) comissão
o capital	bomba de gasolina	troco
o giz		

Comércio   Trânsito   Escola

12. Relacione

escova	nenhuma	evolução	rival
fazer	de casa	energia solar	computador
de maneira	e volta	concorrência	progresso
durar	materna	informática	porta-voz
ida	as malas	interrompido	destinatário
o ferro	louça	comprimento	incompleto
dona	três dias	carta	música
língua	desenvolvimento	discoteca	centímetros/decímetros
golpe	padrinho	opinião pública	sol
caber	de estado		
lava -	de dentes		
de	repente		
em vias de	de passar roupa		
coleção de	selos		
chamada	na mala		
céu	cinzento		
madrinha	de capital		

Lição 3

1. O clima e nós

1. Preencha com as palavras da caixa

| chuvinha | sol | solzinho | tempestade | vento | garoa | frio |

a) Use bronzeador. O _____ do meio dia é muito forte!
b) Não gosto de _____: sempre fico resfriado.
c) Tomara que o _____ pare. Acabei de me pentear.
d) Mãe, a _____ vai passar logo? Tenho medo de trovão.
e) Esta _____ é irritante! Por que não chove ou faz sol?
f) Que _____ gostoso. Acho que vou ficar aqui no jardim.
g) Que _____ chata! Acho que não vou sair.

2. Organize os diálogos

Esse menino...
Ora, eu só vou até a casa da Vera. Não preciso de malha!
Carlinhos, leve a sua malha!
Carlinhos, olhe pela janela. Está frio e vai chover.
Como não? E além disso, você ainda está com aquela tosse...
Não vai chover, mãe. Tchau, até de noite.
Para que, mãe? Não está frio.

Nem pensar! Com este frio quero ficar em casa.
Ou então eu volto para Manaus...
Frio? Está gostoso! Deve estar fazendo uns 20 ºC.
Então você vai ficar em casa o inverno todo!
Que tal a gente sair para tomar uma cerveja?
Para mim está frio. Prefiro não sair.

3. Complete

chuva	*chover*	_____	esquentar, aquecer
_____	ventar	neve	_____
_____	esfriar	_____	garoar

2. Conjunções + presente e perfeito do subjuntivo   B1

1. Diga de outra forma.

a) Eu quero ir à praia, mas não vou com chuva. (desde que)

Vou à praia desde que não chova.

b) Está chovendo, mas vamos à praia. (embora)

_____

c) Vamos ao Brasil no verão. Queremos que nossos filhos aprendam português. (para que)

_____

d) Se Paula vai à festa então eu não vou! (contanto que)

_____

e) Eu não vou pagar agora. Quero receber meu livro antes. (até que)

_____

2. Complete com a conjunção adequada

a) Já são quase 7 horas! Espero que o Ivan chegue _____ comece o concerto.

b) Mas esta casa é horrível! Não vou comprá-la _____ seja grátis!

c) Vocês podem viajar com seus amigos _____ os pais deles viajem com vocês.

d) Fale mais alto _____ todos possamos ouvi-lo.

e) _____ Mariana seja uma pessoa simpática, não tenho o que conversar com ela.

f) Não posso ir à festa _____ eu encontre alguém para ficar com meus filhos.

3. Escolha a alternativa com o mesmo sentido

Eu não viajo com ele nem que ele pague a passagem!

a) Ele paga a passagem? Então eu vou!
b) Mesmo que ele pague a passagem, eu não vou.
c) Ele não paga a passagem? Então eu não vou.

Não vamos ao Brasil este ano a não ser que ganhemos na loteria.

a) Ganhamos na loteria! Vamos ao Brasil este ano!
b) Mesmo que ganhemos na loteria não vamos ao Brasil este ano.
c) Sem ganhar na loteria não podemos ir ao Brasil este ano.

Embora Janete sempre vá às aulas de alemão, ela fala muito mal.

a) Janete sempre vai embora das aulas de alemão. Por isso fala muito mal.
b) Janete sempre vai às aulas de alemão. Mesmo assim fala muito mal.
c) Janete fala muito mal porque sempre vai às aulas de alemão.

3. *Alguém que, alguma coisa que, ... + subjuntivo*

1. Responda

a) Que tipo de carro você quer? (ser - grande e confortável / andar - rápido)
Quero um carro que seja grande e confortável e que ande rápido.

b) Que tipo de secretária você está procurando? (trabalhar - rápido / falar - português / ser simpática)
_____

c) Que tipo de livro você quer comprar? (ser - interessante / não ser - muito grosso / ter - fotos)
_____

d) Que tipo de marido / mulher você gostaria de ter? (ter - muito dinheiro / ser - bonito/a / saber cozinhar)
_____

e) O que você quer comer? (ser - gostoso / não engordar / vir - rápido)
_____

2. Responda negativamente

a) Há algo que eu possa levar para a festa?
_____

b) Você sabe de alguém que conheça bem a Amazônia?
_____

c) Você tem algum livro que mostre fotos de Porto Alegre?
_____
_____

d) Vocês conhecem alguém que tenha uma casa na praia?
_____
_____

e) Você conhece alguém que já tenha terminado o curso de português?
_____
_____

f) Vocês sabem de alguém que já tenha ido para Xique-Xique?
_____
_____

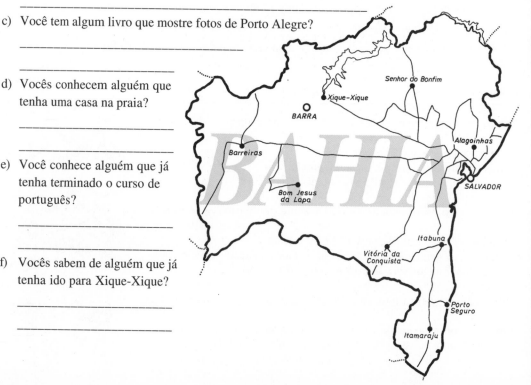

3. Complete com o presente do indicativo ou do subjuntivo

a) Só tenho um amigo que _____ (conhecer) o Brasil, o Paulo.

b) Nesse livro não tem nada que _____ (poder) nos ajudar.

c) Paula não tem ninguém que a _____ (ajudar) com as crianças.

d) Você tem uma caneta que _____ (escrever)? A minha não está funcionando.

e) Aqui tem um artigo que você _____ (ter) que ler.

4. Palavras cruzadas   C

Horizontais

1) No Saara tem muito pouco.
2) Normalmente vem depois do relâmpago.
3) Não é pequeno, mas é gostoso na praia.
4) Não é muito frio nem muito quente.
5) Os rios correm num desses.
6) Quando ele vem, faz muito frio.
7) Você quer fazer alpinismo? Tem que subir numa.

Verticais

8) Não está molhado, mas também não está seco.
9) É quando na Europa as árvores perdem suas folhas.
10) Na Amazônia ele é muitas vezes terrível.
11) Quando cai, tudo fica branco.
12) No Brasil é em dezembro, janeiro e fevereiro.
13) Tem água por todos os lados.

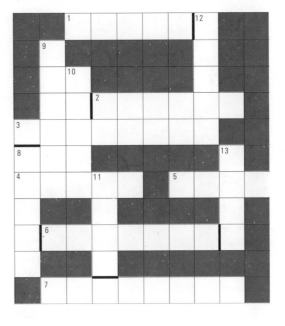

5. A magia da ilha

1. Leia o texto e decida se as frases abaixo estão certas (C) ou erradas (E).

( ) Fernando de Noronha já teve vários nomes.
( ) Há pessoas morando em todas as ilhas
( ) Fernando de Noronha mudou muito desde a visita de Darwin.
( ) As praias do "mar de dentro" ficam no continente.
( ) Os golfinhos seguem o barco quando ouvem seu motor

Fernando de Noronha
Um paraíso de beleza natural escondido no meio do mar

Ao visitar o arquipélago de Fernando de Noronha em 1832, o naturalista inglês Charles Darwin ficou maravilhado com aquilo que descreveu como "um paraíso de rochas vulcânicas incrustado no verde do Atlântico". Mais de um século depois, a definição darwiniana ainda vale: Noronha permanece quase intocado.

Fernando de Noronha já foi a Ilha de São João dos portugueses, a Pavônia dos holandeses e as Isles des Delphines - as ilhas dos golfinhos - durante o domínio francês. Mas o que chama a atenção ao descer do avião depois de uma hora e meia de viagem a partir de Recife são as cores: o céu azul cobalto em contraste com o negro das rochas vulcânicas e o verde do mato bravo.

Além da ilha principal, que dá o nome ao arquipélago e é a única habitada, há outras quatro menores: Rasa, Sela Gineta, do Meio e Rata - e mais 23 ilhotas.

Para se integrar rapidamente à ilha, a primeira providência é acertar o relógio: Fernando de Noronha está uma hora adiantado em relação ao continente. Depois disso, o principal é não ter pressa para conhecer a paisagem Nos primeiros dias é conveniente seguir o roteiro tradicional que sai toda manhã, com guias, do hotel Esmeralda do Atlântico. Assim você poderá conhecer a geografia local.

Dentro do roteiro básico, não perca o passeio de barco à ponta da Sapata. Durante a travessia você terá uma vista geral das praias do "mar de dentro" (o lado da ilha que é voltado para o continente).

Ao voltar da ponta da Sapata você entenderá porque os franceses, ao invadir o arquipélago em 1736, o rebatizaram de Isles des Delphines. Noronha é o *habitat* do golfinho rotador, mamífero que atinge 2m de comprimento e chega aos 90 kg de peso. Na Baia dos Golfinhos, dentro dos limites do Parque Nacional Marinho, não se pode entrar. Mas, alertados pelo barulho do motor na água, eles deixam a enseada às dezenas, seguindo o barco num verdadeiro festival de piruetas e acrobacias.

(Adaptado de Elle, *dezembro de 1989)*

2. Leia o texto novamente e indique as palavras com os significados abaixo.

ilha pequena
grupo de ilhas

dar um novo nome
classe de animais que geralmente não nascem de ovos

pôr a hora certa no relógio

1. Ouça o texto e complete as informações.

A previsão é de tempo _____.
A temperatura vai ficar entre ___ e ___ graus na capital.
Na praia, a temperatura é mais _____ do que na capital.
Uma _____ está sobre o Atlântico.

2. Ouça o texto novamente e decida se as frases estão certas (C) ou erradas (E).

( ) Vai chover principalmente no leste e sul do estado.
( ) Vai chover o dia inteiro.
( ) A temperatura na cidade de São Paulo é de 16 graus.
( ) Na região centro-sul a temperatura está caindo.

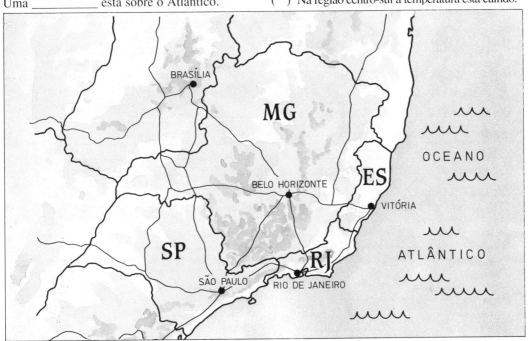

7. Relacione   E

rápido	chuva
lento	neve
frio	tempestade
gelado	ilha
quente	montanha
duro	serra
molhado	baía
branco	trovão
grande	relâmpago
gostoso	rocha
desagradável	
bonito	
verde	
útil	
assustador	
perigoso	
tropical	

vermelho	a mesa
pôr	vazia
vinho	como um pimentão
garrafa	tinto
assar	o frango
pílula	da tarefa
dar conta	anticoncepcional

boas	do pássaro
conferência	da casa
vencimento	sobre criminalidade
vôo	intenções
margem	da conta
proprietário	do rio
interruptor	de luz

Lição 4

A1
A2

1. Sugestões

Nos diálogos do livro-texto, você viu algumas formas de dar sugestões:

A1   ● ... Só sei que o dinheiro anda curto.
      ○ ... *E comprando a prazo?*
A2   ● *Que tal* você pedir...?
A3   ○ ... *Eu acho que deveríamos* ...

1. Utilize estas formas para dar sugestões.

a) A viagem para o Brasil está muito cara. Acho que não posso ir agora. (pagar a prazo)

> E pagando a prazo? / Que tal você pagar a prazo? / Eu acho que você poderia pagar a prazo

b) Estou me sentindo mal. (ir ao médico)

_____

c) Queremos ir à festa, mas como vamos fazer com as crianças? (deixar com a sua irmã)

_____

d) O Wanderlei está tão preocupado! No ano que vem vai para o Canadá e não fala inglês. (fazer um curso)

_____

e) Não suporto mais o meu chefe. Todo dia tenho algum problema com ele. (procurar um outro emprego)

_____

A1
A3

2. Vocabulário

Complete com as palavras da caixa

inflação	sobem	depósito	poupança	economia	impostos	prestações	sacar

a) No mundo todo, as pessoas reclamam dos _____.

b) Quero _____ algum dinheiro da minha conta.

c) Quando há _____ alta, os preços _____ todos os meses.

d) Você não precisa me dar o dinheiro. Faça um _____ direto na minha conta.

e) Muitas pessoas fazem _____ para comprar uma casa.

f) Você pode pagar seu curso em até 4 _____.

g) A _____ de um país como o Brasil é muito complicada.

3. Imperfeito do subjuntivo: formas e uso   B1 B2

Complete com o verbo entre parênteses

a) Ela queria que eu _____ (ir) junto fazer compras, mas não tenho tempo agora.

b) Não achei que o Ademar _____ (conseguir) passar no exame.

c) Fiquei tão chateada que você não _____ (poder) vir à minha festa...

d) Nunca conheci alguém que _____ (entender) a teoria da relatividade de Einstein.

e) O Carlos veio trabalhar hoje? Não achava que _____ (vir), ele estava com gripe ontem.

f) Os pais da Marília ficaram contentes que ela _____ (passar) de ano na faculdade.

g) Eles nos escreveram para que _____ (saber) que estavam bem.

4. Imperfeito do subjuntivo: uso   B2

Faça frases

a) ontem à noite -eles - voltar - para casa / embora / nós - convidar - para passar a noite - aqui

Ontem à noite eles voltaram para casa embora nós os convidássemos para passar a noite aqui.

b) ontem -eu - sair / antes que / a aula - acabar

_____

c) quando sair da faculdade -ele - aceitar - o emprego / embora / o salário - não ser bom

_____

d) no sábado - eles - sair - da festa / sem que / nós -- perceber

_____

e) no ano passado - Paula - não passar no exame / embora / estudar - muito

_____

5. Presente ou imperfeito do subjuntivo?   B1 B2

a) Acho ótimo que você _____ (tirar) férias agora.

b) Sempre duvidei que Afonso _____ (conseguir) passar no vestibular.

c) Tive que ficar acordado até que os últimos convidados _____ (sair).

d) Você pode passar a noite aqui desde que _____ (dormir) no sofá.

e) Não havia nada que _____ (poder) fazer para ajudá-los.

B3 6. Mais-que-perfeito do subjuntivo

1. Complete com o verbo entre parênteses

a) Quando o Alexandre me mostrou o desenho, não acreditei que ele _tivesse feito_ (fazer) sozinho.

b) Senti muito que elas já _____ (ir) embora quando eu cheguei.

c) Ficamos duas horas na fila do banco embora _____ (chegar) cedo.

d) Nunca conheci ninguém que _____ (visitar) tantos países como o Joaquim: ele já esteve em mais de 30!

e) O professor não o deixou sair da sala embora ele já _____ (acabar) a prova.

f) Nunca conseguimos comprar uma casa embora _____ (poupar) a vida toda.

2. Faça frases

a) à noite - estar feliz / embora / durante o dia - estar triste

  À noite estava feliz embora durante o dia tivesse estado triste.

b) no fim-de-semana passado - estar cansado / embora / durante a semana - estar de férias

  _____

c) eu -nunca - conhecer - ninguém / que / ganhar na loteria

  _____

d) até faz pouco tempo - algumas pessoas - duvidar / que / o homem - ir à lua

  _____

e) ontem - ele - não encontrar a nossa casa / embora / nós - dar um mapa

  _____

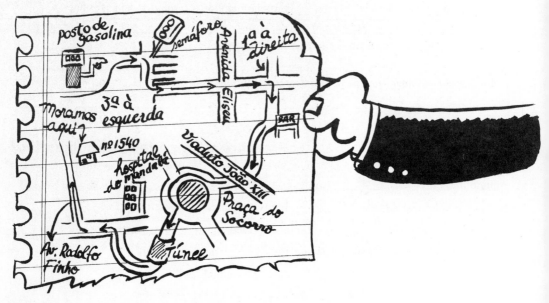

Encontre 18 palavras relacionadas a banco e economia.

Z	X	C	T	A	L	Ã	O	D	E	C	H	E	Q	U	E	S	X	D	F	S	A	C	A	R	Y	Z	T	A
Ê	R	T	Y	E	X	T	R	A	T	O	G	V	C	D	C	O	N	T	A	C	O	R	R	E	N	T	E	O
D	E	P	O	S	I	T	A	R	X	C	H	D	G	T	A	G	Ê	N	C	I	A	É	L	Ô	P	R	T	Y
C	V	K	I	L	Ó	D	E	P	Ó	S	I	T	O	N	V	R	À	F	I	L	A	U	R	T	U	P	A	I
N	U	E	R	O	M	N	Ú	M	E	R	O	D	A	C	O	N	T	A	U	T	O	P	I	A	S	B	R	A
X	O	I	M	P	O	S	T	O	S	B	I	N	F	L	A	Ç	Ã	O	B	R	A	J	U	R	O	S	T	Ú
E	C	O	N	O	M	I	A	X	V	C	U	R	Í	D	I	N	H	E	I	R	O	N	M	O	P	S	D	I
C	R	E	A	L	I	R	O	N	J	I	O	P	D	Ó	L	A	R	J	I	E	M	C	P	L	A	K	I	R
D	E	D	O	S	S	A	L	D	O	G	A	S	P	A	G	A	M	E	N	T	O	S	X	C	I	P	L	O

8. No caixa automático   D1

1. Ouça a fita e decida qual das frases abaixo descreve a situação.

a) O caixa automático não está funcionando direito.
b) A mulher não sabe direito como tirar dinheiro do caixa.
c) O rapaz tem problemas para tirar dinheiro do caixa.

2. Ouça a fita novamente e marque certo (C) ou errado (E).

( ) O rapaz põe o cartão na posição errada
( ) Ele não sabe ler
( ) A moça digita o código para ele.
( ) Ele não tem dinheiro suficiente na conta.
( ) No final ele consegue tirar o dinheiro.

9. O golpe do caixa automático

1. Leia o texto e decida qual dos desenhos combina com ele.

Se você é daqueles que se atrapalha todo quando vai tirar dinheiro nos caixas automáticos espalhados pela cidade, cuidado: aquela pessoa gentil que se oferece para ajudar pode estar querendo mais do que ser um bom samaritano. Nas últimas semanas cresceu o número de queixas de roubo de cartões. Segundo o delegado Silvio Caconde, só no mês passado foram registradas 15 queixas desse tipo nas delegacias policiais do estado.

O golpe é simples e funciona da seguinte forma: o ladrão entra na fila do caixa automático e observa as pessoas que esperam. Ao perceber alguém com dificuldades, oferece-se gentilmente para ajudar. Toma o cartão das mãos do usuário e o introduz na máquina. Pergunta pelo código secreto e o digita. A pessoa fica tão aliviada que pede para que ele realize a operação toda. Ao terminar, o "gentil" rapaz devolve o cartão para a vítima, que vai embora agradecendo efusivamente. Só que o cartão foi trocado por outro, roubado também, que não tem mais utilidade para o ladrão.

De posse do cartão e tendo memorizado a senha, fica fácil para ele zerar a conta corrente em poucos dias. A maioria das vítimas demora dois ou três dias para perceber a troca de cartão e os saques inexplicáveis de sua conta. Então já é tarde.

Paulo Gontijo, gerente de uma agência bancária, sugere: "Só peça ajuda aos funcionários do banco. Se não houver funcionários à disposição, evite dar seu cartão na mão de estranhos. E nunca dê seu código. É ele que garante a sua segurança." Gontijo ainda lembra que "o banco não pode se responsabilizar pelos prejuízos, pois foi você mesmo que forneceu o código para o ladrão!".

2. Leia novamente o texto e coloque as frases na seqüência adequada.

Os bancos não podem fazer nada, pois a pessoa deu o código ao ladrão.
O roubo é simples.
Aumentou o número de roubo de cartões.
Ele pega o cartão, pede o código e faz a operação.
O ladrão oferece ajuda no caixa automático.
Depois o ladrão não devolve o cartão da pessoa mas um outro.
Assim pode sacar todo o dinheiro da vítima.

Organize as palavras da caixa segundo as categorias abaixo

administrador de empresas	economista	primeiro grau
agrônomo	estudos	professor
analista de sistemas	exame	rio
árido	extrato	saldo
arquiteto	faculdade	saque
baía	frio	seco
banco	ilha	segundo grau
calor	jornalista	serra
carreira	juros	talão de cheques
cartão	matrícula	tempestade
conta	médico	temporal
cursinho	neve	vale
curso	nuvem	vestibular
dentista	político	
depósito	poupança	

Escola   Universidade   Clima   Geografia   Bancos   Profissão

11. Onde se compram?

1. papel, envelopes, lápis, cadernos ...
2. presunto, queijo, patês ...
3. pão, pão doce, biscoitos ...
4. medicamentos, pasta de dentes, preservativos ...
5. jornais, revistas ...

farmácia	banca de jornais
padaria	papelaria rotisseria

12. Agrupe as palavras por área:

lagosta   martelo   pêra   melancia   polvo   lula   morango   pá   tesoura   alicate

Frutos do mar   Frutas   Ferramentas

13. Relacione

assembléia	carta
lago	espirro
pó	inverno
solitário	de grandeza
mania	multidão
aquecimento	veleiro
remetente	diamante
novidade	champanhe
taça	

apaixonar-se	férias
apanhar	de um bom trabalho
gozar	as plantas
admirar	por um quadro
molhar	um resfriado
orgulhar-se	uma bela paisagem

27

Lição 5

A1 1. Entrevista do mês

Observe as fotos. Esses comerciantes falaram sobre suas atividades profissionais.
Reconstitua o texto usando as expressões abaixo.

ter boa conversa / ser simpático / chover e fazer frio / ganhar bem ou mal / bom negócio / ter patrão / comprar/vender

"Ser camelô pode ser um bom negócio. É necessário ter boa conversa e ser simpático. Às vezes eu ganho bem, depende da época. O difícil é ficar na rua quando chove e faz frio. Não vendo nada."

situação econômica / mercado estável / ter empregado / boa administração / agradar clientes / investir / retorno financeiro / variar estoque/ter prejuízo

"A vida do comerciante depende_____
_____
_____
_____

crise no setor/ser estável/oferta e demanda/ mercado de turismo e hotelaria/clientela/ formação de pessoal/equipar/conforto oferecer serviços variados/faturamento/ investimento

"Considero hóteis bons investimentos ...
_____

produção/variedades de produtos/ criatividade/clientela/horário flexível/ser independente/trabalhar em casa/lucro/gastos

"Comecei há pouco tempo a fazer doces e sobremesas para fora ...

28

1. Quebrar ou enguiçar? Relacione as palavras da caixa com os desenhos.

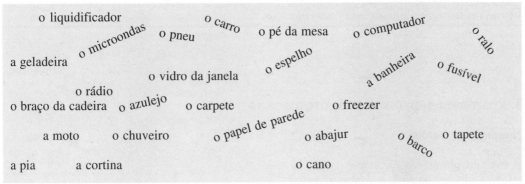

o liquidificador   o carro   o pé da mesa   o computador   o ralo

a geladeira   o microondas   o pneu   o espelho   a banheira   o fusível

o vidro da janela

o rádio

o braço da cadeira   o azulejo   o carpete   o freezer

a moto   o chuveiro   o papel de parede   o abajur   o barco   o tapete

a pia   a cortina   o cano

quebrar	**enguiçar**	**trincar**
geladeira,___	___	___
___	___	___
___	___	___

furar	**rasgar**	**entupir**
___	___	___
___	___	___
___	___	___

2. Faça frases

o carro	enguiçar		o mecânico		consertar
o motor da geladeira	queimar		o eletricista		trocar a peça
o vidro da janela	quebrar	vou chamar	o vidraceiro	para	colocar outra
a pia	entupir		o encanador		limpar
a máquina de lavar	quebrar		o técnico		consertar

A3 ## 3. Promessas, promessas, promessas

Complete os diálogos.

a) ● Agora, chega! Vocês estão exagerando. Quando vou ter meu gravador de volta?

○ _____

● Amanhã, amanhã ... Faz um mês que vocês prometem para amanhã.

b) ● Juninho, me empresta dinheiro para o cinema?

○ De jeito nenhum. Você nunca me devolve.

● _____

c) ● Afinal, você vai ou não vai lavar a louça?

○ _____

● Toda noite você diz a mesma coisa e nada!

d) ● Você vai ganhar um walkman só depois de melhorar as notas do colégio.

○ Mas isso é chantagem!

● Então ... nada feito.

○ _____

e) ● Nas próximas férias vamos para Bali.

○ Bali ... Fidji ... Há anos que você repete isso. Só as ilhas mudam ...

● _____

> Tá bom, tá bom, prometo estudar mais! Quando o filme acabar vou correndo. Juro.
> Dou minha palavra que devolvo. Desta vez é sério. Acredite em mim! Amanhã, sem falta.

B1 ## 4. *Se* + imperfeito do subjuntivo

1. Complete

Se eu _____ (saber) nadar bem, participaria do campeonato.

Nós compraríamos o sítio do Zé se ele _____ (querer) vendê-lo.

Se ela _____ (falar) chinês, ela não precisaria de intérprete.

Não seria mais fácil se a empresa _____ (contratar) um especialista?

2. Faça frases a partir das situações abaixo.

Exemplo: Márcio vai fazer vestibular. Ele estuda pouco por isso está inseguro.

Se ele estudasse mais, não estaria inseguro.

a) Helena está com 70 kg. Ela se sente horrível mas não faz regime.

Se Helena _____

b) Bia pediu emprestado o carro dos pais. Eles não lhe emprestaram porque ela corre muito.

Os pais de Bia _____

c) Selma me convidou para ir ao cinema. Não vou porque estou muito cansado.

Se _____

3. Responda.

Se você tivesse um iate, quem levaria para um cruzeiro nas Caraíbas?

_____

Se você fosse presidente da república por um dia, o que você faria em primeiro lugar?

_____

Se você encontrasse uma mala cheia de dinheiro e jóias, qual seria sua atitude?

_____

Se você fosse milionário e não precisasse trabalhar, como ocuparia seu tempo?

_____

5. O verbo *haver* na forma impessoal   B2

Faça a pergunta certa.

_____?

Há quinze minutos.

_____?

Há muitos anos. Era estudante na época.

_____?

É que houve um incêndio no 4º andar.

_____?

Vai haver uma manifestação contra a violência.

_____?

Não sei, não tenho relógio.

> Por que fecharam esta rua?
> O que os bombeiros estão fazendo aqui?
> Há quanto tempo ele foi embora?
> Quando o senhor esteve em Paris?
> Há quanto tempo você está aqui?

6. *Se* + mais-que-perfeito do subjuntivo   B3

1. Observe as situações e depois faça frases.

Não fui à festa porque não me convidaram.

Se tivessem me convidado, teria ido à festa.

a) Não vimos o show do Caetano porque não conseguimos entradas.

_____.

b) Miguel parou de fumar porque ficou doente.

_____.

c) O passeio foi agradável porque não choveu.

_____.

2. Seu namorado / sua namorada a / o abandonou. Só resta a você arrepender-se do que (não) fez.

Ela não teria ido embora se eu tivesse feito regime.

Ele (ela) não teria me deixado se ...
    abandonado
    saído de casa
    pedido divórcio

pedir para ficar
saber cozinhar
fazer o que prometeu
ser mais compreensível
dizer que o/a amava
não trazer mamãe junto

fazer regime
parar de cantar no banheiro
jogar fora a coleção de aranhas
ganhar na loteria
não esquecer o aniversário
trabalhar

C1   7. Solicitar, deixar para depois, aceitar, recusar.

Uma pessoa solicita serviços. O prestador aceita, recusa ou deixa para depois. Observe o exemplo e faça outros diálogos.

solicitar
Por favor, gostaria de falar com o encanador.
Dá para trocar a peça agora?
É possível mandar o técnico hoje?
Pode dar uma olhada no meu gravador, por favor?

aceitar
Aguarde um instante. Ele já vem.
Está difícil, mas vamos dar um jeito.
Pois não.

deixar para depois
Ele está muito ocupado. Ligue mais tarde.
Depende da marca. Pode demorar um pouqinho.
Hoje não dá, amanhã.
Temos muito serviço no momento.

recusar
Desculpe, só temos eletricistas.
Não trabalhamos com eletro-eletrônicos.
Nós consertamos, mas não instalamos.

● Por favor, gostaria de falar com o encanador.
○ Ele está muito ocupado. Ligue mais tarde.

1. Ouça o texto e diga se as afirmações abaixo estão certas (C) ou erradas (E)

( ) O publicitário comprou uma garrafa retornável de refrigerante.
( ) O publicitário abriu a garrafa e viu dentro a tampa de plástico.
( ) O técnico da empresa disse que foi boicote de funcionário.
( ) Segundo o assessor da engarrafadora o incidente é normal.
( ) O material do objeto não é o mesmo da tampa.
( ) O objeto estranho em contato com a bebida faz mal à saúde.

2. Reconstitua a carta que o publicitário enviou à rádio.

um pedaço	havia um objeto estranho	para me queixar	pude constatar
uma garrafa retornável	ainda mais preocupado	me falou de possível	

```
Prezado senhor,

No dia 1º de julho comprei _____ de 1,5 l de
refrigerante no supermercado OK. Quando cheguei
em casa, vi com surpresa que _____ dentro de
garrafa. Não abri e _____ que se tratava de
_____ da tampa de plástico. Liguei imediata-
mente para a empresa _____ e um técnico
_____ boicote. Fiquei _____ e gostaria
que a empresa desse maiores explicações e tomasse
providências.

Sem mais no momento,


Fulano de Tal
```

Aqui estão diversos anúncios, oferecendo cursos dos mais variados tipos. Leia todos eles e depois escolha cuidadosamente três que gostaria de fazer em suas horas de lazer.

Paragliding. Venha viver as emoções deste novo esporte: voe com os pássaros, sem motor, sem barulho, curtindo a paisagem desde o alto. Três fins-de-semana são suficientes. Instrutor Peter. Fone (021) 222-3333.

Culinária espanhola. Aprenda a fazer paella, gazpacho, zarzuela e muito mais. **Ramón**, ex-cozinheiro do restaurante Madrid. **Recados: 222-3333**.

Curso de **cerâmica** com professora formada na Universidade de Alfred, estado de Nova Iorque. Turmas reduzidas (no máx. 5 alunos); horários à tarde e à noite. R. das Fiandeiras 56.

Espanhol rápido para o Mercosul: 2 semestres de curso básico, um semestre avançado.   muita   conversação, professores argentinos e brasileiros. **Platense idiomas. (032) 20-2020.**

Aprenda **Shiatsu** em 7 sessões de 45 minutos (Vila Madalena).**F: 111-2222.**

10. Por bem ou por mal?

1. Leia as expressões.

Eu quebrei seu vaso, mas juro que foi sem querer!
Não se pode levar João a sério. Ele gosta de brincar.
Pedi a ele não me levar a mal, mas ele ficou ofendido.
Você não pode dizer isso nem de brincadeira. É muito sério.
Ele gosta de levar tudo na brincadeira mas, às vezes, isso dá problemas.
Desculpe! Eu não quis falar por mal.
Você precisa levar a vida na esportiva: um dia a gente ganha, no outro perde.
Você não tem saída. Vai fazer isso por bem ou por mal.
Foi um acidente com certeza: ele não seria louco de fazer de propósito.

2. Relacione.

a. levar a sério
b. levar a mal
c. dizer de brincadeira
d. levar na brincadeira
e. falar por mal
f. levar na esportiva
g. (fazer) por bem ou por mal
h. fazer de propósito

1. dar pouca importância
2. ter intenção de ofender
3. acreditar
4. fazer piada
5. ter que fazer concordando ou não
6. fazer por querer
7. conservar o bom humor, saber perder
8. ficar bravo

3. Substitua as expressões sublinhadas.

a. Eu disse que ia me mudar para os Estados Unidos e eles acreditaram.
b. Não fique bravo comigo, mas não gostei de seu novo penteado.
c. Ela disse que queria pilotar avião mas era uma piada.
d. Ele não deu importância aos conselhos e agora pode perder o emprego.
e. Disse que ela estava chata mas não quis ofendê-la. Agora ela não fala mais comigo.
f. Inácio tem problemas com o chefe, mas nunca perde o bom humor.
g. Eles vão ter que aceitar a decisão do grupo, concordando ou não.
h. É a 3ª vez que ele marca encontro e não vem. Tenho certeza que ele não vem porque não quer.

DESCULPE... FOI SEM QUERER!

Revisão

JOGO: DESTINO BRASIL

Instruções

Este jogo pode ser jogado sozinho em casa ou com os colegas em classe.

I - Em casa: um só jogador

1. Você precisa de uma peça e de um dado
2. Jogue o dado e responda à questão correspondente ao número que tirou.
3. Verifique as suas respostas imediatamente.
4. Some (+) os números das casas com respostas certas. Subtraia (-) os números das casas com respostas erradas.
5. O jogo termina ao chegar à casa 54.
6. Jogue o jogo várias vezes até conseguir no mínimo 250 pontos.

Como calcular os pontos? Exemplos:

1ª jogada: casa 6, certo	→	+	6
2ª jogada: casa 11, certo	→	+	11
		=	17
3ª jogada: casa 15, errado	→	-	15
		=	2
4ª jogada: casa 20, certo	→	+	20
		=	22

II - Em classe: 2 a 6 jogadores.

1. Cada jogador tem uma peça de cor diferente.
2. O primeiro jogador joga o dado e responde à questão correspondente ao número que tirou.
3. Se a resposta está certa, o jogador coloca seu peão nessa casa.
4. Se a resposta está errada, o jogador não avança.
5. Os outros jogadores fazem o mesmo.
6. Ganha quem chega à META primeiro com o número certo no dado.

O jogo começa na página seguinte

1. **Dê 2 vantagens e 2 desvantagens em ser recepcionista.**

2. Para ser jornalista é preciso que a pessoa _____ (conhecer) muito bem sua língua materna, _____ (escrever) bem e _____ (ser) informado.

3. É importante que você _____ (vir) ao encontro porque é provável que a gente _____ (ter) a oportunidade de conhecer os melhores profissionais da área.

4. Espero que ela tenha _____ (receber) a carta, tenha _____ (ler) com atenção, tenha _____ (concordar) comigo, tenha _____ (sentir) meu drama e não tenha _____ (ficar) chateada. É só isso que eu quero.

5. **Complete**: Eu espero que eles leiam o manual com atenção.
   Eu espero que ontem eles _____ o manual com atenção.

no fim de semana? (3 atividades)

14. **Zona de turbulência. Volte 3 casas.**

15. Você pode usar minha sala _____ não fume.

16. **Junte as frases:**
    Não vou a essa festa. Podem me pedir de joelhos que eu não vou.

17. **Conjugue o verbo** *saber* **no presente do subjuntivo.**

18. **Que bom, está tudo calmo. Avance para a casa 25.**

19. **Conjugue o verbo** *sair* **no presente do subjuntivo.**

20. Quero um sócio que _____, _____, _____, _____, _____.

21. ● Você conhece alguém que estude sânscrito?
    ○ Não, _____

6. **Que sorte! Nenhuma turbulência. Avance para o 10.**

7. ● A chave que você está procurando é esta aqui?
   ○ Não. É _____ _____.
   ● Não entre nesse carro aí! O meu é _____ _____.

8. **Diga em que área atuam o vendedor, o arquiteto e o desenhista.**

9. **A aeromoça está explicando as medidas de segurança. Descanse uma vez.**

10. **Dê 5 verbos ligados à idéia de escola.**

11. **Você tem que fazer um curso de árabe intensivo. Ligue para a escola e pergunte a duração, horários, métodos e custo do curso.**

12. Estou cansado de tanta chuva. Tomara que amanhã _____.

13. **O que você faz quando chove e faz frio**

22. ● Há algo que eu possa fazer para ajudá-lo?
    ○ Não, _____ infelizmente. **(resposta completa)**

23. **Hoje é seu dia. Jogue de novo.**

24. O clima na minha região é _____, _____, _____.

25. Dê o contrário de: seco/_____, calor/_____, gelado/_____.

26. Fui ao banco pegar um _____ de cheques, ver o _____ da minha conta _____ e abrir uma _____ para passar um mês na Austrália no ano que vem.

27. **A fila do banheiro está enorme. Espere 2 vezes antes de jogar de novo.**

28. **Conjugue o verbo** *fazer* **no imperfeito do subjuntivo.**

29. **Faça sugestões de 2 formas diferentes:** Estou com dor de dente / ir ao dentista
30. ● Você me deixou aqui sozinho e queria que eu estivesse contente?
   ○ Não.   Queria que você me _____ (perdoar/desculpar)
31. Fiquei chateada que o porteiro não me _____ (deixar) entrar com o cachorro.
32. **Problemas à vista. Falha no motor. Recue 5 casas.**
33. Eles pediram que nós _____ (ir) até o aeroporto buscá-los.
34. Talvez/ser melhor/esperar a chuva passar.
35. **Hora do jantar. Passe sua vez.**
36. **Complete:** economia - economizar/ pagamento - _____/saque - _____/ negociação - _____.

46. **Dê o contrário:** ter lucro/_____, ganhar/_____, depositar/_____
47. **Você está cansado. Tire um cochilo. Pare 1 vez.**
48. Se/vocês/explicar o problema/tudo/ficar mais fácil.
49. Jackson parou de dirigir porque teve um acidente muito grave no ano passado. Se _____.
50. Se tivéssemos trabalhado em grupo já _____ (acabar)
51. **Sorte no jogo, azar no amor? Jogue mais uma vez**
52. **Relaxe. Tome um uisquinho e descanse uma vez.**
53. **Zenildo discorda o tempo todo do seu chefe. O que eles devem fazer? Use 3 expressões de opinião.**
54. **Qual é o intruso?** trabalhe/quisesse/tenha

37. Foi bom que ele _____ (sair) do banco, ele está muito melhor como representante comercial.
38. Ficar surpreso/José/tomar uma decisão tão radical.
39. **Conjugue o verbo *dizer* no mais-que-perfeito do subjuntivo.**
40. Embora nós _____ (avisar) nada foi feito.
41. **Problemas no motor resolvidos. Avance uma casa.**
42. O _____ troca vidros, o _____ conserta aspiradores, o _____ faz móveis.
43. Quando seu carro _____ você chama o mecânico para _____ consertá-lo.
44. **Ai, ai, ai. O piloto sumiu. Volte 10 casas.**
45. Dê 3 expressões de promessa.

comprado/entende/saiba/fosse
55. **Haver:** - _____ quanto tempo você não tira férias?
56. **Haver:** Ontem não _____ aulas porque foi feriado.
57. **Piloto automático: o comandante está jantando.   Recue 3 casas.**
58. **Recuse:** - Por favor, o eletricista pode vir em casa consertar o chuveiro?
59. **Deixe para depois:** - O senhor pode trocar a pilha do meu relógio agora?
60. **Meus parabéns, você conseguiu! Olha o Pão de Açúcar e o mar! Pode pôr seu calção de banho ou maiô!**

Lição 6

A1
A2

1. Sorte ou azar?

1. Diga de outra forma. Use as expressões abaixo. Observe o exemplo.

Na minha opinião...	Todo mundo é de opinião que ...	Para ele ...
É um absurdo pensar / dizer que ...	Para mim ...	Na opinião dele...

Eu não acho que a 6ª feira 13 seja dia de azar.
Na minha opinião, (Para mim,) sexta-feira 13 não é dia de azar.

a. Ele não acredita que dê azar passar por baixo de uma escada.
_____

b. Nós achamos que é melhor não dar atenção a superstições.
_____

c. Eu não penso que haja mais perigo no mês de agosto.
_____

d. Todo mundo concorda que há muitos fatos sem explicação.
_____

e. Eu não achava que ele fosse supersticioso.

2. Você é a favor ou contra? Responda as perguntas expressando indecisão.

1. Você acredita em fantasmas?
_____

2. Superstição é sempre sinal de ignorância?
_____

3. Um pouco de superstição não faz mal a ninguém.
_____

3. O que você acha disso? Responda as perguntas expressando indiferença.

1. É bobagem andar com uma figa no pescoço?
_____

2. Uma ferradura atrás da porta pode espantar o azar?
_____

3. Dá azar ter 13 pessoas à mesa para jantar?
_____

1. Releia o diálogo A3 do livro-texto. Certo (C) ou errado (E)?

Para muitos brasileiros,

( )   Santos da religião católica podem ajudar as pessoas a resolver problemas,
( )   Os problemas são geralmente dificuldades pequenas do dia-a-dia.
( )   Nesses apelos, sentimentos religiosos e práticas supersticiosas não se misturam.
( )   Existe intensa comunicação entre nosso mundo e um outro mundo.
( )   Os santos são indiferentes a nós e ao que nos possa acontecer.

2. Você é supersticioso?

a) Dê sua opinião.

1. O mês de agosto é um período de tensões, instabilidades, desgraças e crises. O noticiário dos jornais prova isso.
2. Amuletos como figa ou pata de coelho não têm nenhum poder especial. A pessoa que os usa sente-se mais protegida, mais forte, o que lhe dá mais segurança para evitar problemas.
3. Quando você passa por baixo de uma escada corre riscos imprevisíveis.
4. Encontrar um gato preto em seu caminho só pode trazer um azar: você tropeçar nele e cair de cara no chão.
5. É bom ter sempre com você um amuleto. Dá sorte.
6. Quebrou o espelho? Que azar! Vai ter de comprar outro. Não há outras conseqüências.
7. As superstições dos povos primitivos chegaram até nós porque o mundo está cheio de fatos que não podemos explicar.
8. Nossa sorte ou nosso azar depende de nós e de mais nada.

> 0: Não acho nada.
> 1: Sei lá.
> 2: Discordo totalmente. É um absurdo.
> 3: Discordo. Não é bem assim.
> 4: Quem sabe?
> 5: Talvez
> 6: Concordo em termos.
> 7: Concordo plenamente.

b) Some os pontos que você obteve e veja o resultado:

0 pontos: você é um cético total. Será que não há mais coisas entre o céu e a terra do que sonha a nossa vã filosofia?

1 - 15 pontos: você prefere não acreditar em tudo o que dizem, mas fica um restinho de dúvida, não é mesmo? Afinal, nunca se sabe...

16 - 25 pontos: um perfeito diplomata: nem sim, nem não, muito pelo contrário!

26 - 44 pontos: para você o mundo está cheio de mistérios que não podemos entender só com a cabeça. Mas tudo tem limites, certo? Afinal estamos no século 20!

45 - 56 pontos: São Tomás não é o seu nome. Um pouco de ceticismo não faz mal a ninguém...

c) Leia novamente sua resposta para o item 8. Compare esta resposta com as outras respostas que você deu. Agora diga: Você é pessoa coerente? Seja sincero!

3. Futuro do subjuntivo: Forma

1. Complete as lacunas com o verbo indicado no futuro do subjuntivo.

a) (ter) Só poderemos terminar este trabalho quando nós _____ todas as informações.

b) (poder) Faça como _____.

c) (querer) Se Deus _____, tudo correrá bem.

d) (vir) Poderemos conversar com ele quando ele _____ visitar-nos.

e) (estar) Não tome nenhuma decisão enquanto você _____ em dúvida.

f) (saber) Telefonaremos para você logo que nós _____ o que está acontecendo.

4. Usos do futuro do subjuntivo

Complete com os verbos indicados no tempo correto do indicativo ou no futuro do subjuntivo.

a) (estar) Ele não disse nada quando _____ aqui.

b) (chover) Eu nunca viajo quando _____.

c) (ir) No ano que vem, quando eles _____ ao Pantanal, eu irei também.

d) (ter) Ela me ajuda sempre que eu _____ problemas.

e) (ter) No futuro, peça conselhos aos amigos sempre que _____ problemas.

f) (ter) Ele vinha aqui sempre que _____ tempo.

5. Futuro do subjuntivo composto - Forma e uso

1. Complete com o futuro do subjuntivo composto.

Só poderemos sair (chuva - parar)
Só poderemos sair *quando a chuva tiver parado.*

a) (filme - terminar) Só poderemos sair quando _____.

b) (ler - jornais) Ela entenderá a situação depois que _____.

c) (tomar - cafezinho) Eu pagarei a conta logo que _____.

d) (fazer - bom trabalho) Eles receberão um bom aumento se _____.

e) (demolir - casas) A Prefeitura construirá uma bela avenida aqui depois que _____.

2. Complete com uma conjunção e o verbo no futuro do subjuntivo composto.

Ex.: Ele viajará assim que *tiver assinado o contrato.*

viajar	assim que	juntar o dinheiro suficiente
assinar	quando	terminar o curso
aposentar-se	depois que	ser promovido
vender a casa	se ...	encontrar alguém para ir com ele

3. Sublinhe a forma verbal correta. Observe os quadros abaixo.

Conjunções que pedem presente e imperfeito do subjuntivo	Conjunções que pedem futuro do subjuntivo
para que, a fim de que embora contanto que, desde que mesmo que antes que até que caso a não ser que	quando enquanto logo que, assim que sempre que depois que se como

1. Ela não ficará calma enquanto não (tiver, tenha) notícias de nós.
2. Marcos não vai viajar embora já (tenha, tiver) todos os documentos.
3. Ele vai mudar de emprego a não ser que a firma (aumente, aumentar) seu salário.
4. Ninguém sairá daqui até que a polícia (chegue, chegar). Logo que a polícia (chegue, chegar) o problema será resolvido.
5. Compraremos as entradas hoje para que não (tenhamos, tivermos) problemas no dia do show.

4. Forme 4 frases usando elementos de cada uma das colunas.

Eu lerei as notícias	todos os documentos que	quiser ouvir.
Virgínia levou embora	aqueles que	precisarem de ajuda.
Marina convidou	para quem	ela quis.
Todo mundo ajudará	todas as pessoas que	eu lhe dei.

a) _____

b) _____

c) _____

d) _____

5. Complete a idéia com os verbos abaixo. Use o futuro do subjuntivo.

poder	estar	fazer	querer	trazer	achar	ser

Eu vou ler todas as revistas que _puder comprar._

a) Vamos pagar tudo o que ele _____.

b) Vou jogar fora tudo o que eu _____.

c) Queremos marcar uma reunião com vocês onde vocês _____.

d) Vou convidar para jantar todos os que eu _____.

e) Falarei com quem _____.

f) Assinarei todos os documentos que meu advogado _____.

C 6. Paraíso treme ao vento ateu

Uma pedra e duas crenças. O suficiente para confrontar mundos completamente distintos. No dia 1º de agosto, os pacíficos e místicos moradores da comunidade alternativa, Novo Homem, no município goiano de Alto Paraíso, a 200 quilômetros de Brasília, perderam a calma: expulsaram no grito um grupo de mineradores que invadiram as terras da comunidade. Não só no grito: no auge da discussão, alguns tiros de revólver 38 contra oito tambores de óleo dos seis garimpeiros ajudaram a reforçar os argumentos dos moradores da comunidade, donos legais da terra.

Os alternativos que perderam a calma, são, na sua maior parte , seguidores do guru Bhagwan Shree Rajneesh, morto em 1990, depois de liderar uma das maiores correntes místicas dos anos 60 e 70. Antes de expulsar os garimpeiros, os integran-

tes brasileiros da comunidade tinham pedido a eles, várias vezes, que saíssem de suas terras. Depois dos tiros, os mineradores abandonaram a fazenda, mas prometem voltar. Eles tinham começado a construir uma estrada de 18 quilômetros, através das terras da comunidade, para chegar a sítios onde pretendem extrair cristal de rocha, abundante na região. Passaram o trator sobre centenas de árvores, aterraram quatro nascentes e transformaram o cenário da Serra do Cristal, a menos de dez quilômetros do Parque Nacional da Chapada dos Veadeiros, entre montanhas que chegam a 1.500 m de altitude e mais de 8 cachoeiras.

De bucólico, o clima na comunidade passou a ser de terror.

O acordo entre os dois lados é difícil. Uma velha mística da região diz que a serra esconde uma pedra de cristal de quartzo de 15 tonela-

das, responsável pelo equilíbrio energético do planeta. Para os garimpeiros, o raciocínio é mais simples: cada quilo do cristal sagrado vale US$ 1 no mercado internacional. A comunidade é formada por cerca de 100 pessoas, entre estrangeiros e brasileiros. Todos os dias, eles fazem um patrulhamento ostensivo pela fazenda, armados apenas de uma velha espingarda e um revólver 38. "Estamos alertas. Essa pedra deve permanecer intacta. O que está em jogo não é só o ecossistema da região, mas sim a vida do planeta", afirma um dos pioneiros da comunidade. O argumento não preocupa os garimpeiros. "Eu não entendo muito desse negócio de meio ambiente. Sei que, por causa dos tiros nos tambores, tive um grande prejuízo", justifica um minerador.

O caso está na Justiça. Enquanto esperam, os moradores da fazenda se revezam entre plantar, meditar e vigiar a serra e seus segredos.

O líder da comunidade explica. "Fizemos um estudo minucioso de várias regiões do planeta e chegamos à conclusão de que, na área do Alto Paraíso, as possibilidades de cataclismos ambientais como terremotos, maremotos e mudanças radicais de clima seriam muito reduzidas".

Lá na Serra dos Cristais, está montado o cenário para o terceiro milênio: água e ar despoluídos, fauna e flora exóticas. E, de quebra, um cristal mágico.

1. Procure no texto a passagem que diz que

1. antes de usar a violência, os moradores da fazenda tentaram, mais de uma vez, convencer os mineradores a abandonar a área.

2. Os mineradores destruíram parte da bela paisagem da Serra dos Cristais.

3. Agora há medo na área que antes era tranqüila.

4. Os moradores da fazenda não estão bem armados.

5. Os moradores da fazenda, pensando em catástrofes naturais, acreditam que a área em que vivem é mais segura.

2. Dê e explique sua opinião

Os moradores da fazenda são	Os mineradores são	Considerando-se a idéia do fim do mundo, existirá segurança
loucos sonhadores desajustados previdentes nenhuma das anteriores.	desonestos objetivos ignorantes criminosos nenhuma das anteriores.	em algumas áreas em nenhuma área não haverá catástrofe final.

7. Acordos - os signos da numerologia   D1

Da mesma maneira como a pessoa pertence a um determinado signo do Zodíaco, ela também pertence a algum acordo de numerologia. Na numerologia, os signos denominam-se *acordos* e dividem-se em três grupos: o acordo do Ar, do Fogo e da Água.

Como saber se o dia é favorável

Dia 3 de outubro de 1995:
3 + 10 + 1995 = 37
3 + 7 = 10
1 + 0 = 1
A vibração deste dia é 1 – portanto é dia favorável para as pessoas do Acordo da Água.

espírito, a inspiração. As pessoas desse acordo gostam de artes, são sensíveis, inspiradas e criativas. As pessoas cujo dia de aniversário soma 3 são falantes e comunicativas. As que somam 6 são muito ligadas à família, mas gostam de política. As que somam 9 são generosas, altruístas.

Acordo da Água – Fazem parte deste acordo todas as pessoas que nasceram em dias cuja soma de algarismos se reduz a 1, 5 ou 7 (por exemplo, dia 25 2 + 5 = 7). O acordo da água representa a mente. As pessoas que a ele pertencem, portanto, trabalham bem mentalmente, são inteligentes e criativas. Gostam de estudar e, em geral, são cultas. As pessoas cujo dia de aniversário soma 1 são intelectuais, têm interesse por assuntos científicos. As que somam 7 são estudiosas, mediúnicas, meio misteriosas. As que somam 5 são versáteis e têm personalidade magnética.

Acordo do Ar – É o acordo dos que nasceram em dias que somam 3, 6, 9. O Ar representa o

Acordo do Fogo – É do grupo das pessoas cujo dia de nascimento soma 2, 4, 8. São pessoas emotivas porque o Fogo representa o sentimento. Por outro lado, são também racionais. Os que nasceram neste acordo fazem tudo com muita energia e entusiasmo. São também práticas e dominadoras. As do grupo 2 são diplomáticas e finas. As do 4 são práticas, honestas, habilidosas, persistentes e corajosas. As do 8 são boas comerciantes. Para que seu casamento seja perfeito, procure uma pessoa do mesmo acordo que o seu. Vocês terão mais afinidades.

1. Aplique a teoria dos acordos a você mesmo.

a) Qual é o seu acordo?

b) Segundo o seu acordo, como você deveria ser?

c) Como você acha que você é?

d) Hoje é dia favorável para você?

2. Escolha uma pessoa que você conhece e analise o acordo dela. Siga o roteiro das 4 perguntas acima.

8. Milagres e mandingas do dia de São João.

1. Ouça novamente o texto e explique:

Nessas simpatias o que se deve fazer com

o balde?
as agulhas?
as brasas da fogueira?

2. Certo (C) ou errado (E)?

De acordo com o que você ouviu,

( ) as simpatias de São João são,
geralmente, tentativas de adivinhar o
futuro.
( ) as revelações sobre o futuro podem
não ser agradáveis.
( ) nenhuma simpatia de São João é
perigosa.

E 9. Dê o substantivo

inscrever	*a inscrição*	saudável	*a saúde*
multiplicar		corajoso	
subtrair		capaz	
atento		razoável	
compreender		ausente	
explorar		anual	
supor		desempenhar	
associar		semelhante	
reivindicar		preciso (exato)	
opor-se			
iluminar			
receber			

1. Sistemas políticos A1
A2

Relacione

Presidente — No Brasil é o Presidente
Ministro — Uma parte do Congresso
Senado — É o chefe de estado em monarquias
Chefe de estado — É nomeado pelo chefe de governo
Rei — É eleito pelo voto direto
República federativa — Um país organizado em estados relativamente independentes

2. Já sabe em quem votar? A3

1. Organize os diálogos. Eles são continuação do diálogo A3 no livro texto.

Então dê o nome de um!
Não são não, existem políticos sérios que se interessam pelo país.
Ora, veja por exemplo o candidato do meu partido: é sério, inteligente, honesto, competente...
A única forma de mudar alguma coisa é votando em candidatos bons.
Que é isso! Ele nunca teve um cargo, como você pode saber que ele é competente e honesto!
Você é um otimista: políticos são todos iguais.

E por quê? O que importa se eu não voto? Não muda nada!
Então mostre um candidato cujo programa não seja só blá-blá-blá.
Claro que existem.
É fundamental que todos votemos conscientemente.
Tenho certeza que importa! Precisamos finalmente de um presidente sério e para isso temos que votar.
Não existem políticos sérios, e você sabe disso.

2. Complete com as expressões da caixa

E daí?	Discordo	Isso é absurdo	Eu não me importo	Não acho certo	Tanto faz

a) As eleições são daqui a um mês.
   _____ Não me interesso por política.

b) Os analfabetos não deveriam votar.
   _____. Eles são cidadãos como nós.

c) _____ que crianças de 16 anos votem!

d) _____ quem vai ser o presidente: não vai mudar nada mesmo!

e) Quem você acha o melhor candidato?
   _____. São todos iguais.

f) Um rei resolveria todos os problemas do Brasil!
   _____ A monarquia não tem tradição no Brasil.

3. Presente do indicativo ou presente do subjuntivo?

1. Preencha.

a) Que pena que eu não _____ (poder) ir com vocês.

b) Sinto muito! Nós não _____ (poder) viajar neste fim-de-semana. O Carlos precisa trabalhar.

c) A Juliana está doente? É uma pena, eu _____ (precisar) tanto
falar com ela.

d) Fico muito feliz que vocês _____ (estar) aqui conosco.

e) Fico chateado quando não _____ (conseguir) fazer ginástica.

f) Quero que você _____ (arrumar) o seu quarto agora!

2. Preencha.

a) Mas é muito importante, Chico! Você _____ (precisar) entregar o relatório ainda hoje.

b) Para ser Deputado no Brasil é necessário que você _____ (ter) mais de 35 anos.

c) Para poder votar basta que você _____ (ser) maior de dezesseis anos.

d) Convém que você _____ (telefonar) antes de ir ao escritório dela.

e) É bom que vocês _____ (reservar) uma mesa no restaurante. Sexta à noite todo mundo
sai para jantar.

f) Agora basta! As crianças _____ (ir) para o quarto!

3. Preencha

a) Vamos para Búzios amanhã a não ser que _____ (chover).

b) Gosto muito da Mônica embora não nos _____ (conhecer) muito bem.

c) Vou sair já para que _____ (chegar) em Santos antes do meio-dia.

d) Estou atrasado, mas ainda _____ (ir) tomar um cafezinho com você.

e) Eu vou terminar isto nem que _____ (ter) que trabalhar até de noite!

f) Eu preciso falar com o Cláudio para que ele me _____ (dar) o endereço do Zé em Porto Velho.

g) Está chovendo. Acho que é por isso que o Jonas _____ (estar) atrasado.

h) Não posso sair com vocês porque _____ (ir) trabalhar hoje à noite.

4. Perfeito, imperfeito do indicativo ou imperfeito do subjuntivo?

1. Preencha

a) Achei uma pena que você não _____ (poder) vir à minha festa

b) Fiquei muito feliz! A Joana _____ (conseguir) passar no vestibular.

c) A Carla ficou tão chateada! Ela não _____ (ser) convidada para o seu aniversário.

d) Ficaram muito contentes que vocês _____ (ir) junto à praia.

e) Que bom! Ontem ele _____ (chegar) na hora certa para me ajudar.

f) Eu pedi que ele me _____ (ajudar), mas ele não quis.

2. Preencha

a) Foi bom que ele _____ (chegar) naquele momento. Sem ele eu não teria conseguido.

b) Bastou que as crianças _____ (ir) dormir para que tivéssemos um pouco de paz.

c) A viagem foi necessária, Paulo. Você não _____ (visitar) o cliente faz três meses.

d) Foi importante que o Pedro _____ (vir). Só ele conhecia bem o projeto do qual falamos.

e) Foi ótimo que eles _____ (trazer) vinho. Já estávamos pensando em beber água!

3. Preencha

a) Eu desmarquei a reunião para que nós _____ (poder) ir à festa do Joaquim.

b) Eu trabalhei até tarde ontem, por isso não _____ (ir) à sua casa.

c) Acho que a Claudia foi para Buenos Aires ontem, a não ser que o chefe dela _____ (continuar) doente.

e) Eu quis telefonar para você ontem, mas a reunião só _____ (acabar) às 10 da noite.

f) Marcelo conseguiu chegar a tempo, embora _____ (estar) chovendo muito ontem à tarde.

5. Pronomes relativos   B4

1. Preencha com a preposição adequada, se necessário, e depois faça frases segundo o modelo.

a) Esta é a Paula. Nós falamos COM ela ontem sobre aulas de português.
   Esta é a Paula, com quem falamos ontem sobre aulas de português.

b) Este é o livro sobre o Brasil. Falamos _____ livro ontem.

   _____

c) Estas são as fotos de Belo Horizonte. Eu mostrei as fotos na minha aula de português.

   _____

d) Este é o meu amigo Leonardo. Eu comprei aquela pinga no Brasil _____ ele.

   _____

e) Aqueles são meus amigos americanos. A casa de Búzios pertence _____ eles.

   _____

2. Faça frases conforme o modelo

a) A filha da Carla vai casar na próxima semana. Carla nos convidou para o casamento.

Carla, cuja filha vai casar na próxima semana, nos convidou para o casamento.

b) Nós vamos jantar numa churrascaria. As carnes da churrascaria são conhecidas no Brasil inteiro.

_____

c) Roberto Carlos é um cantor muito conhecido. As canções dele tocam muito em toda a América Latina.

_____

d) Rui Barbosa foi uma figura importante na história brasileira. Seus discursos são lembrados até hoje.

_____

e) A família real brasileira ainda sonha com a monarquia. Seu palácio fica em Petrópolis.

_____

C   6. Sistema político brasileiro

O Presidente da República é eleito por voto direto. Ele nomeia os seus ministros.

O Congresso divide-se em duas casas: a Câmara dos Deputados e o Senado Federal. Na Câmara, cada estado é representado por 8 até 70 Deputados, proporcionalmente à população. No Senado há três representantes para cada estado.

O Supremo Tribunal Federal é a mais alta instância do Poder Judiciário. Seus juízes (chamados de Ministros) são indicados pelo Presidente da República.

Em cada estado, o Poder executivo é representado pelo seu Governador, também eleito pelo voto direto. Ele nomeia seus Secretários de Governo, em função análoga à dos Ministros de Estado.

O Poder Legislativo estadual é exercido pelas Assembléias Estaduais, e o Poder Judiciário pelos Tribunais de Justiça.

Os municípios são governados por um Prefeito e uma Câmara de Vereadores, eleitos diretamente.

Escreva um pequeno texto decrevendo o sitema político de seu país. As palavras na caixa podem ajudá-lo.

chefe de Estado	chefe de governo	república parlamentar	monarquia
primeiro ministro	rei / rainha	províncias	

159.000.000 habitantes
em 1990

... enquanto em 1994 o produto nacional bruto (PNB) brasileiro atingiu a marca de US$ 470,5 bilhões.

43,8% da população é economicamente ativa

A cada ano, aproximadamente 10% da população sofre internações hospitalares.

**Escolaridade dos habitantes
com mais de 10 anos de idade**

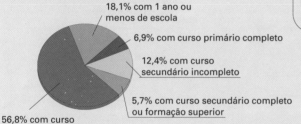

18,1% com 1 ano ou menos de escola

6,9% com curso primário completo

12,4% com curso secundário incompleto

5,7% com curso secundário completo ou formação superior

56,8% com curso primário incompleto

Os homens brasileiros têm expectativa de vida média de 63,5 anos atualmente, contra 69,1 anos das mulheres.

75% da população brasileira mora nas cidades, o restante em áreas rurais

**DISTRIBUIÇÃO ETÁRIA
DA POPULAÇÃO**

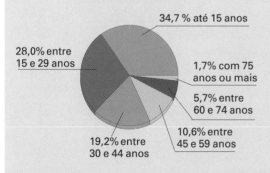

34,7 % até 15 anos

28,0% entre 15 e 29 anos

1,7% com 75 anos ou mais

5,7% entre 60 e 74 anos

10,6% entre 45 e 59 anos

19,2% entre 30 e 44 anos

A renda per capita em 1993 foi de 3.010 US$

25% dos trabalhadores ganham até um salário mínimo, dois terços têm rendimentos de até 3 mínimos mensais.

APROVADO SALÁRIO MÍNIMO DE US$ 110

1. Organize as estatísticas e os números acima em três categorias: População, Trabalho e Economia, e Saúde e Educação.

2. Escreva um pequeno texto sobre o Brasil, utilizando alguns dos dados acima.

8. Politiquês

Os políticos no Brasil, como no mundo inteiro aliás, falam de forma muito particular: dizem uma coisa quando querem dizer outra. Ouça a fita e relacione as frases que você ouvir com os pensamentos abaixo.

a) não concordo com isso

b) eu sou o melhor candidato

c) faço qualquer coisa para atingir o poder

d) o outro candidato é um ignorante

e) estou em último lugar nas pesquisas

f) essa sugestão é totalmente absurda

E ## 9. Dê a forma que está faltando

a largura	largo	alargar
o levantamento		
_____		ligar
a força	_____	_____
o gosto	_____	_____
o governador		_____
a duração		_____
a educação		_____
o esforço		_____
a exigência	_____	_____
a facilidade	_____	_____
a conclusão		_____
_____	estudioso	_____
	_____	deitar
a cooperação		_____
_____	curioso	
a caça		_____
_____	diário	

10. Agrupe as palavras da mesma área

cana-de-açúcar   petróleo   prata   gado   trator   pasto   ferro   soja   vacina   rebanho

Agricultura   Extração\mineração   Pecuária

1. O trânsito urbano   A1

Relacione

1. a esquina	( ) PARE
2. o semáforo	( ) o cruzamento
3. a placa de trânsito	( ) a ponte
4. a calçada	( ) vermelho, amarelo, verde
5. o rio	( ) o pedestre
6. o obstáculo	( ) a zona azul
7. o estacionamento regulamentado	( ) a lombada

2. É proibido!   A2
A3

1. Relacione

1. a multa	( ) a moto
2. o excesso de veloci-dade	( ) o acidente
	( ) o pedágio
3. o capacete	( ) falta de cartão de zona azul
4. o atropelamento	
5. a manutenção de estradas	( ) pedestre fora da faixa

2. Faça as combinações possíveis.

1. atravessar	( ) a faixa
2. fazer	( ) pela direita
3. estacionar	( ) na contramão
4. queimar	( ) fora da faixa
5. atropelar	( ) conversão proibida
6. dirigir	( ) a 100 por hora
7. obedecer	( ) um pedestre
8. ultrapassar	( ) ao sinal
9. pagar	( ) uma multa

3. O trânsito do bairro   A4

1. Você está expondo sua opinião sobre alguém. Ordene as frases para apresentar suas idéias.

( ) Finalmente, ela também não gosta de nós.
( ) Em primeiro lugar, eu não a acho muito simpática.
( ) Depois, aqui ninguém gosta dela.
( ) Em segundo lugar, ela não é pessoa muito inteligente.

( ) Em segundo lugar, porque minha família é daqui.
( ) Não vou me mudar para S. Paulo, em primeiro lugar porque não gosto de viver em cidades grandes.
( ) Por fim, mudar por quê? Estou tão bem aqui!
( ) Depois, porque meus filhos não querem deixar os amigos.

2. Organize as expressões abaixo em colunas

É uma boa idéia.

Genial!

Por que não fazer ...?

De jeito nenhum!

Por que não?

Tenho uma idéia. Que tal ...?

E se fizéssemos

Seria ótimo

Não vai dar certo.

Propondo	**Respondendo à proposta**
_____	_____
_____	_____
_____	_____
_____	_____
_____	_____

B1   4. Infinitivo Pessoal - Forma e uso

1. Complete com o Infinitivo Pessoal. (Em todas as frases abaixo, seu uso é necessário.)

a) Ele pediu para elas _____ (sair).

b) Vocês não podem sair sem nós _____ (dar) licença.

c) Ele marcou uma reunião para nós lhe _____ (apresentar) nossos planos.

d) Ela saiu sem nós a _____ (ver).

e) Para nós _____ (poder) descansar no domingo, trabalhamos mais no sábado.

f) Sem nós _____ (dizer) o que sabemos, ninguém entenderá a situação.

g) Eles pediram muito dinheiro para eles _____ (fazer) o trabalho.

2. Complete com o Infinitivo Pessoal. (Em todas as frases abaixo, seu uso é opcional)

a) Para _____ (ter) certeza, precisamos de mais informações.

b) Elas saíram da sala sem _____ (pedir) licença.

c) Por não _____ (ter) escolha, concordaram com a idéia.

d) Depois de _____ (trancar) a porta, fomos embora.

e) Eles não foram à festa por não _____ (ter) convite.

SE FICAR O BICHO COME...
SE CORRER O BICHO PEGA!

1. Diga de outro modo. Observe o exemplo.

Não vou lá porque não tenho tempo.
Não vou lá por não ter tempo.

a) Ele não me escreve porque não tem meu endereço.

_____

b) Ele está sempre cansado porque trabalha muito.

_____

c) Ele não vai fazer o negócio sem que receba garantias.

_____

d) Ele entrou sem que tivesse permissão.

_____

e) Ela insiste para que entremos.

_____

f) Vá dormir cedo para que esteja bem amanhã.

_____

2. Complete.

a) Ele pediu para eu _____ (dizer) a verdade.

b) Ele insiste para que eu _____ (dizer) o que sei.

c) Não quero ficar na praia sem que _____ (fazer) sol.

d) Ele teve problemas porque não me _____ (ouvir).

e) Ele não entende o que dizem por não _____ (ouvir) bem.

6. Orações reduzidas de Gerúndio   B3

Diga de outro modo. Observe o exemplo.

Se eu puder, comprarei o carro.
Podendo, comprarei o carro.

a) Se você tiver tempo, ligue para mim.

_____

b) Quando ele entrar, ele me verá.

_____

c) Porque não lê os jornais, não sabe o que está acontecendo.

_____

d) Se não liqüidar a conta, você pagará uma multa.

_____

e) Quando você falar com ele, conte-lhe tudo.

_____

B4 7. Orações reduzidas de Particípio.

Diga de outro modo. Observe o exemplo.

Quando o sinal abriu, ele acelerou.
Aberto o sinal, ele acelerou.

a) Quando a reunião acabar, vamos almoçar.

_____

b) Depois que o prédio foi construído, venderam os apartamentos.

_____

c) Quando o problema foi resolvido, pensamos
em outras coisas.

_____

d) Quando eu asssinar o contrato, começarei a
trabalhar.

_____

e) Depois que você fizer seu trabalho, poderá ir
embora.

_____

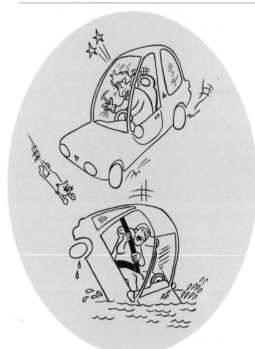

C 8. Pontos de vista

Responda por escrito

a) Você é a favor ou contra o uso obrigatório
do cinto de segurança?
Dê 3 argumentos a favor e três contra.

b) Indique três vantagens e três desvantagens
destes meios de transporte:
ônibus - moto - carro - metrô - bonde

c) Em sua cidade, a bicicleta pode ser uma
solução para o problema do transporte urbano?
Indique pelo menos 3 vantagens e 3 desvantagens de seu uso.

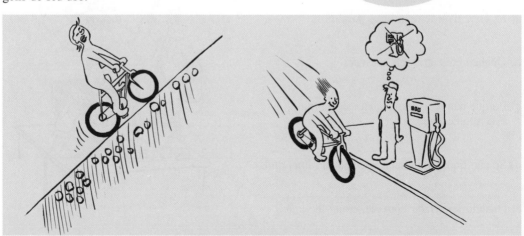

Leia as perguntas com atenção. Em seguida, escolha a alternativa que melhor represente sua opinião. Se nenhuma alternativa lhe agradar, escreva na última linha, o que você pensa sobre o assunto.

1. Por que os jovens se revoltam quando os pais os proíbem de dirigir sem carteira de habilitação?

a. *Porque se sentem humilhados diante dos amigos.*

b. *Porque a proibição os impede de entrar logo no mundo dos adultos.*

c. *Porque não são mais crianças.*

d. *Porque não conseguem compreender os adultos.*

e. _____

2. Por que os jovens gostam de dirigir em alta velocidade?

a. *Porque dirigir em alta velocidade satisfaz sua necessidade de competição.*

b. *Porque querem ser mais fortes do que seus pais.*

c. *Porque querem esquecer as limitações que têm por serem muito jovens.*

d. *Porque querem crescer depressa para aproveitar logo os "privilégios" dos adultos.*

e. _____.

3. Por que ter o próprio carro é tão importante para o jovem?

a. *Porque o carro é um instrumento de auto-afirmação.*

b. *Porque ele precisa de carro para locomover-se.*

c. *Porque todo jovem moderno precisa ter seu próprio carro.*

d. *Porque o carro é a maior preocupação do jovem.*

e. _____.

4. Como deve o pai agir se descobrir que seu filho adolescente mandou fazer cópia da chave do carro e está dirigindo escondido, participando de pegas e rachas?

a. *Deve vender o carro.*

b. *Deve procurar orientação de um psicólogo para o garoto.*

c. *Deve falar seriamente com o rapaz, mostrando-lhe os problemas que está criando.*

d. *Deve controlar, dia e noite, todos os movimentos do jovem.*

e.

_____

5. Até que ponto deve o pai ceder à pressão do filho para que lhe empreste o carro?

a. *Se o filho não tem carteira de habilitação, deve ceder o carro só para curtas distâncias.*

b. *Deve emprestar sempre para evitar discussões e conflitos familiares por causa do carro.*

c. *Deve levar em conta a importância da ocasião para o filho. Deve tentar ver o problema do ponto de vista do filho, não do seu.*

d. *Deve emprestar o carro ao filho sempre com a condição de que este pague o combustível e se responsabilize por algum dano eventual.*

e. _____

(*Baseado em* Shell Responde 13 — Ele quer a chave. O que fazer?)

10. Linguagem dos sinais

Ouça a fita e relacione o sinal com seu significado.

1. Pisca-pisca ligado para a esquerda.
2. Pisca-pisca ligado para a direita.
3. Piscar os faróis duas vezes seguidas para o carro que vem em sentido contrário.
4. Buzinar 2 vezes rapidamente.
5. Pisar de leve no freio por 2 vezes, complementando com gesto de braço.
6. Piscar farol, buzinar insistentemente, ligar farol-alerta.

( ) Agradecimento
( ) Situação de desespero
( ) Polícia Rodoviária à frente
( ) Não ultrapasse! Agora não dá.
( ) O veículo à frente vai parar.
( ) Vai que dá! Ultrapasse!

E **11. Palavras e palavras**

1. Complete.

a) ajudar   *a ajuda*

b) interessar   *o* _____

c) preocupar   _____

d) estacionar   _____

e) parar   _____

f) garantir   _____

g) limpar   _____

2. Complete

a) o tipo   *típico*

b) a lei   _____

c) a liberdade   _____

d) a felicidade   _____

e) a sociedade   _____

f) a pessoa   _____

g) o perigo   _____

h) a sujeira   _____

3. Complete

a) importância   *importante*   *importar*

b) o seguro   _____   _____

c) _____   _____   responsabilizar

d) _____   respeitável   _____

e) a necessidade   _____   _____

f) _____   _____   responder

g) a ligação   _____   _____

h) o agrado   _____   _____

i) _____   _____   agradecer

j) o uso   _____   _____

l) _____   _____   ver

4. Associe idéias

1. a roça   ( ) o padeiro
2. o metal   ( ) o banho
3. dez   ( ) o saca-rolhas
4. o roupão   ( ) o comício
5. o pão   ( ) o caipira
6. a garrafa   ( ) centímetros
7. o charuto   ( ) a fumaça
8. a passeata   ( ) o ouro

5. Associe idéias

1. o martelo   ( ) a rolha
2. a lousa,   ( ) a salsicha
   o quadro-negro
3. a conta   ( ) o apagador
4. a garrafa   ( ) o xarope
5. a tosse   ( ) o suor
6. o cachorro-quente   ( ) a espuma
7. o sabão   ( ) o prego
8. treinar   ( ) o recibo

6. Relacione a palavra com sua definição

1. cerâmica   ( ) veículo para transportar doentes ou feridos
2. artesanato   ( ) instrumento para medir temperaturas
3. isqueiro   ( ) pessoa que realizou um ato excepcional
4. vela   ( ) ato de avaliar os gastos para a realização de um projeto
5. orçamento   ( ) objeto usado para iluminação
6. herói   ( ) lugar em que se enche o tanque do carro
7. termômetro   ( ) técnica de produzir objetos manualmente
8. ambulância   ( ) pequeno aparelho usado geralmente para acender cigarros
9. posto de gasolina   ( ) arte de fabricar objetos de argila cozida

Lição 9

1. Mídia impressa

Organize em categorias ou secções os recortes de jornal abaixo.

Tietê transborda e piora inundação na Vila Pantanal

Cerca de 400 pessoas ficaram desabrigadas; famílias permanecem em local de risco na Zona Sul.

DÓLAR

	Compra	Venda
Comercial	0,934	0,936
Turismo	0,905	0,935
Paralelo	0,918	0,928

A Lua ingressa em Peixes às 11h46. Os humanos procuram muito longe o que está ao alcande das mãos.

PRAIA GRANDE CASA
P/ carnaval. Jd. Imperador. Junto à praia. Acomod. 6 pessoas.
Fone: 61-1234 c/ Mara

Por problemas na caixa de câmbio do carro, a equipe transferiu o trino para amanhã, em Paul Ricard

A estréia de Pedro Paulo Diniz e da equipe Forte Corse na Fórmula 1 teve de ser adiada para amanhã, em Paul Ricard, no sul da França. Alguns componentes do modelo FG-01 chegaram só ontem e a montagem do carro terminou apenas à tarde.
(Leia mais na pág. 3-1)

Atenção
Urgente. Uma cinqüentona, que quer sair da solidão, procura 1 homem rico, de 40 a 99 anos, que goste de viajar, da natureza e tenha muito amor para dar. Sou morena clara, 1.65 m, muito simpática, inteligente e aparentando menor idade. F: 123-4567 ramal 123

Assalto a blindado termina em duas mortes

PL estuda fusão com PFL em São Paulo

a) noticiário político nacional
b) noticiário político internacional
c) noticiário policial
d) noticiário local
e) noticiário econômico
f) meteorologia
g) astrologia
h) classificados
i) saúde
j) turismo
l) crônica
m) esportes
n) serviços
o) mensagens pessoais
p) variedades

2. Relacione

a) jornal sensacionalista
b) filme água-com-açúcar
c) mini-série
d) Casa e Jardim
e) Gazeta Mercantil

( ) novela em poucos capítulos
( ) decoração
( ) negócios, dinheiro
( ) crimes, sangue, escândalos
( ) lágrimas, lágrimas ... final feliz!

Passe as frases abaixo para o discurso indireto. Preste atenção no tempo do verbo introdutor

a)   "- Sente-se ali!", mandou ele.
    Ele mandou-me sentar ali.
    ou
    Ele mandou que eu sentasse ali.

b)   "-Não vou trabalhar hoje", - avisa ela.
    _____

c)   "- Podemos sair?", - perguntam os alunos.
    _____

d)   "- Pense melhor!", - propõe a esposa.
    _____

e)   "- Quanto custa a geladeira?", - perguntou o cliente.
    _____

f)   "- Não sei mais o que fazer. Ele não quer me escutar.", - queixou-se a mãe.
    _____

g)   "- Mostre-me seus documentos!", - ordenou-me o guarda.
    _____

3. Verbos de comunicação   B2

Escolha o verbo de comunicação mais adequado.

a) "- Sente-se ali!", *mandou* ele (pedir, mandar, sugerir)

b) "- Que tal um sorvete?, eu *sugeri* (sugerir, pedir, dizer)

c) "- Fique aqui!", _____ a mãe de Cláudio. (mandar, dizer, afirmar)

d) "- Vamos fechar a loja dentro de 30 minutos", _____ o alto-falante. (dizer, anunciar, avisar)

e) "- Laura, venha cá, por favor!" _____ o gerente. (exigir, sugerir, pedir)

f) "- Que cansaço!" _____ Elisa. (reclamar, dizer, comunicar)

g) "- Não sei", _____ André. (responder, explicar, perguntar)

h) "- Assinaremos o contrato amanhã", _____ o presidente da companhia. (anunciar, sugerir, pedir)

4. O que foi que ele disse?   B1 B2

1. Passe para o discurso indireto. Varie o verbo introdutor.

a) "- Não vou sair com vocês. Estou muito cansado."
    O Jair *resmungou que estava muito cansado e não sairia conosco.*

b) "- Vocês já leram o jornal?" "
    Ela _____

c) "- Venha me ver sempre que quiser".
    Tia Amália _____

d) "- Essa novela foi a pior que eu já vi.

Ele _____

e) "- Estamos muito ocupados no momento. Volte outra hora"!

A secretária _____

f) "- Traga uma pizza quando voltar!"

Eu _____

g) "- Nesta semana terminaremos nosso trabalho."

O professor _____

h) "- É verdade. O Moreira esteve muito doente".

A irmã do Moreira _____

i) "- Tenha um pouco de paciência! Tentei falar com ele ontem. Vou tentar novamente amanhã."

O marido de Adélia _____

j) "- E se vocês nos encontrassem na frente do cinema?"

Eu _____

2. Reconstruindo um diálogo

a) Leia o texto. Trata-se de uma conversa entre o roteirista (R) e o diretor de novelas (D).

R - Você leu o romance de Fausto Costa que queremos adaptar para a televisão?
D - Li e achei interessante, embora haja alguns problemas com a história.
R - Problemas? Que tipo de problemas? É uma história de amor como as outras, bem ao gosto do telespectador.
D - Eu não acho. Para mim, a relação do casal é muito complicada e o ambiente sofisticado. Digo mais, há personagens demais. Quero que você faça uma adaptação e que corte alguns personagens.
R - Vou tentar, mas, na minha opinião, uma simplificação reduzirá o interesse do público. E também preciso falar com o Fausto Costa para ver se ele autoriza.
D - Eu proponho o seguinte: faça a adaptação e converse com o autor. Se ele estiver de acordo, voltaremos a falar no projeto.

b) Mais tarde, o roteirista escreve um memorando ao seu assistente para contar sua conversa com o diretor. Complete o relato do roteirista.

Samuel:
Encontrei com o Miranda no café e aproveitei para falar da novela. Perguntei ...

Aqui estão três matérias de jornal misturadas. Trata-se de:

1. uma notícia econômica
2. uma carta do leitor
3. uma notícia policial

Monte as 3 matérias, organizando as passagens abaixo. Depois dê um título a cada uma delas.

a) Os seus pais avisaram a Polícia Militar do Espírito Santo, que acionou o Serviço Reservado da PM no município de Alegre, a 90 minutos de Carangolas. A moça foi encontrada perto da Rodoviária trajando um short masculino preto e blusa de malha preta e descalça.

b) Entre 29 de janeiro e 1º de fevereiro, minha mulher e eu estivemos em Fernando de Noronha. Foi realmente fascinante. O problema é a precariedade do lugar.

c) informou que será feita uma "auditoria em profundidade" para apurar as denúncias. O dossiê foi preparado por um ex-funcionário da Panco. Conforme o documento, a Panco teria criado um código interno com palavras em japonês shiro, com a sigla SH, que significaria sem nota fiscal, e kuro, com a letra K, para identificar nota fiscal. O código seria usado para o controle de compras e vendas reais realizadas pela empresa.

d) mas a família não quis divulgar a quantia nem confirmar informações de que teria sido algo em torno de US$ 5 milhões.
A moça chegou no final da manhã a Vitória,

e) O Sindicato dos Trabalhadores nas Indústrias de Panificação, Confeitaria e Afins de São Paulo entregou ontem à Secretaria da Fazenda do Estado um dossiê com acusa-

ções de sonegação fiscal que teria sido cometida pelo Grupo Panco.
Segundo o dossiê, a empresa teria falsificado notas fiscais adulterando a terceira via (que fica em seu poder), com valores diferentes dos registrados na primeira e na segunda via (que vão para o cliente).
O diretor executivo da fiscalização tributária da Secretaria da Fazenda, Roberto Antônio Mazzonetto,

f) Sei que aviões atrasam. Mas todos os dias, e às vezes até quatro horas? Não me arrependo de ter conhecido o arquipélago.

g) O núcleo urbano, que compreende a Vila dos Remédios e todas as residências espalhadas pela ilha, parece uma sucata. Não existe a mínima estrutura para atender qualquer turista.

h) Não estou falando de luxo, hotéis cinco estrelas, nada disso. A BR-363 está num estado calamitoso: são seis quilômetros de buracos e sacos esmagados pelos jipes do local. Falar dos atrasos constantes dos aviões do Nordeste seria chover no molhado.

i) Desejo voltar no futuro para novos mergulhos. Mas fico chateado ao ver o abandono em que se encontra um dos lugares mais bonitos do mundo. Carlos Eduardo Pestana Magalhães, São Paulo, SP.

j) VITÓRIA - A filha de um empresá-

rio, de 27 anos, foi libertada na madrugada de ontem em Carangolas, Minas Gerais, depois de passar 65 dias em cativeiro.

l) Outras informações mostram como teriam sido adulteradas máquinas registradoras e várias relações ilegais entre empresas do grupo, que atua na produção de pães, bolos e macarrão, e fatura entre US$ 60 milhões

m) e US$ 70 milhões por ano.
"As acusações não têm fundamento", diz o assessor da diretoria da Panco, Jaime Kochi. "Foram preparadas por um funcionário demitido, que vinha tentando extorquir a empresa há mais de um ano e, como não conseguiu, levou o caso à imprensa.".

n) Ela tinha sido seqüestrada por quatro homens na madrugada de 17 de dezembro quando saía, em companhia de uma amiga, de um restaurante na Praia do Canto, em Vitória. O resgate já havia sido pago no dia 31, na Avenida Brasil, no Rio,

o) mas foi levada pelos parentes para descansar num local não-revelado. Amanhã ela deverá ser apresentada à imprensa, em local e horário a ser ainda definidos, para falar sobre o seqüestro.
Ela foi libertada por volta das 3 horas e telefonou imediatamente para a família.

6. Novas novelas

1. Indique a alternativa apropriada

O que é novela na televisão brasileira?
a) história em muitos capítulos, sempre de baixa qualidade
b) teatro para televisão
c) história em muitos capítulos, nem sempre de baixa qualidade

A que horas são apresentadas as novelas mais importantes?
a) no horário nobre da televisão ($\pm$ entre 19 e 21 horas)
b) à tarde, para distração das donas-de-casa.
c) tarde da noite.

2. Certo (C) ou errado (E)? As novelas brasileiras ...

( ) a) muitas vezes são grandes produções, com grandes investimentos
( ) b) são artigos de exportação
( ) c) são muito populares em Portugal, difundindo, neste país, o português falado no Brasil
( ) d) contam com grandes atores de teatro em sua produção
( ) e) quando fazem sucesso, alteram a vida da cidade e a rotina familiar (horário de trabalho, de jantar, tema de conversas ...)
( ) f) são pura perda de tempo

Novelas têm defeitos e qualidades complementares

"Tropicaliente" é rica e apática; a singela "Éramos seis" tem empatia

As duas novelas se complementam em seus vícios e virtudes. O que falta a "Tropicaliente", novo título das 18h da Rede Globo, sobra em "Éramos seis", a volta do SBT à teledramaturgia própria. E vice-versa.

Explica-se: "Tropicaliente", novela de Walter Negrão dirigida por Paulo Ubiratan, é sol, é mar. É o fim do caminho: atores bonitos, em cenários bonitos falam coisas bonitas e vivem uma vida bonita. Os teens do elenco - um bom núcleo de atores, até só transam depois do casamento, não usam drogas, não se rebelam com nada.

História: pescadores (glamourizados) de um lado e ricos (mas bonzinhos) de outro se relacionam, vivem e amam. Entre uma cena e outra, o barquinho (dos pescadores) vai, a tardinha (de um Ceará idílico) cai.

(Por falar em Ceará, idílico, o governo do Estado investe US$ 500 mil na novela.

Se há técnica e dinheiro na Globo, escasseia o "know how" no SBT. É por aí que a coisa pega em "Éramos seis", adaptada por Sílvio de Abreu e Rubens Ewald Filho.

A maquiagem é, de fato, pesada; os atores se portam como num baile de fantasia - e não como personagens caracterizados para a época; e "turcos", "espanhóis" e "caipiras" do elenco forçam sotaques.

Mas, com tudo isto, a nova novela da emissora de Sílvio Santos leva jeito de sucesso - mesmo se olhada sem a condescendência que tomou conta, por exemplo, das críticas recentes a filmes nacionais. Tem o frescor interpretativo de Denise Fraga e o sempre bom Osmar Prado. Tem o bonde e o circo cenográfico, pequeno e bem cuidado.

Tem, mais do que tudo, o "plot". É ousado, porque conservador. Assim é como se a dona de casa visse sua vida passar no vídeo. Dá-lhe crochê, tricô, dois dedos de prosa, conflitos familiares, amores de meia-idade, dificuldades financeiras. A empatia é imediata.

A história "singela" da pobre "Éramos seis" contra a exuberância vazia da rica "Tropicaliente". Falta uma que reúna as duas.

3. A crítica é favorável ou desfavorável às duas novelas? Lendo a crítica, o que você acha dessas novelas? Você gostaria de assisti-las? Escreva um parágrafo sobre o assunto.

1. Ouça o texto e escolha a frase que melhor resume o seu conteúdo.

a) A mídia acelera a transformação do mundo, expondo fatos e idéias que, de outra forma, não seriam divulgados.

b) O constante desenvolvimento dos meios de comunicação divulga fatos e idéias, acelerando a marcha do mundo em direção a um futuro melhor.

c) A mídia é a grande responsável por escândalos que abalam governos e tradições, como este na Inglaterra, por exemplo.

2. Ouça novamente o texto e, de acordo com o seu conteúdo, relacione as palavras abaixo.

1. escândalo   ( ) progresso das comunicações
2. transformação do mundo   ( ) ecologia
3. satélite Sputnik   ( ) separação, divórcio
4. paz e amor, bicho!   ( ) dias melhores

8. Relacione   E

1. À esquerda, você tem palavras ligadas à imprensa escrita (jornais e revistas). À direita, você tem assuntos que se relacionam, especificamente, a uma destas palavras.

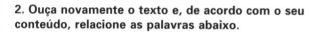

1. a manchete	horário de corte de energia elétrica	cuide de sua pele!
2. o suplemento cultural		a taxa do dólar
3. o suplemento feminino	a aliança do PSDB com o PT	entrevista com Chico Buarque
4. o suplemento agrícola	greves	dicas aos bananicultores
5. o noticiário político	escândalos	opinião do jornal sobre a
6. o noticiário policial	farmácias de plantão	última declaração do
7. o noticiário local	eleições no Sindicato dos Metalúrgicos	Presidente
8. o editorial		morador impede o corte da
9. serviços	combate ao gafanhoto	árvore mais antiga de sua rua
10. classificados	fraude no Ministério da Saúde	como restaurar móveis antigos
11. o caderno de economia	resenha de teatro	defeito pára metrô por mais de
12. a coluna social	vende-se	uma hora
13. a entrega a domicílio	casamento do ano	assinatura
	ladrão preso em flagrante	

2. Na coluna à esquerda, você encontra palavras ligadas à imprensa falada (rádio e televisão). Faça como no exercício anterior.

programa de calouros ao vivo
Corinthias x Inter
"Gabriela, Cravo e Canela"- reprise
Escândalo na Bolsa
a dublagem
"E o vento levou!"
desenho animado
desfile de escola de samba
Caetano - 60 minutos
Perfil - Entrevistas
concurso de calouros
Telecurso
Mesa Redonda: O Aborto
Beba Coca-Cola
Horário do PT
Cozinha da Ofélia
Conversando com o Rei Momo
"Dallas"
Assinatura
Escolinha dos Gatinhos
"Idéia Perigosa" (inédito)
Bombril - 1001 utilidades
As Cidades Históricas de Minas
Orquestra Filarmônica de Boston

1. o programa infantil
2. o programa de auditório
3. o programa de entrevistas
4. o programa de debates
5. filmes inéditos
6. reprises (filmes)
7. o programa de esportes
8. publicidade
9. MPB
10. o documentário
11. o programa de notícias (o noticiário)
12. o programa educativo
13. o programa de variedades
14. o programa político
15. o programa feminino
16. a novela
17. o seriado
18. TV a cabo

3. Separe por categorias

a aguardente	a adega	o figo	o caju
a ameixa	o limão	a amêndoa	o licor
a jabuticaba	o atum	o bolo	o chuchu
o bacalhau	a cachaça	a maçã	a couve-flor
o conhaque	o açougue	o botequim	brindar
o quindim	o álcool	o chope	a horta
a limonada	a caneca	a laranjeira	o limoeiro
a azeitona	o linguado		

Frutas   Carne   Peixe   Legume   Doce   Bebidas

4. Separe as palavras abaixo por categorias. Algumas palavras podem ser colocadas em mais de uma coluna.

o atletismo - a barraca - o bispo - o jogador - loiro - a Páscoa - a batucada - a brincadeira
a inflamação - o cristianismo - a beira-mar - o campismo - o bigode - a capela - cristão - a barba
o divertimento - o apetite - fiel - o batizado - curar - a infecção - a injeção - a freira - a gravidez
o comprimido - o esqui - a fé - as costas - o descanso - o fígado - distrair - o ferimento - o cassete
o padre - o pastor - o templo - o passatempo

Lazer   Corpo humano   Religião

Lição 10

1. Relacione.

a) tênis   de costas
b) nadar   vitrinas
c) fazer   roda de amigos
d) tomar chope na   de praia
e) tirar   cooper
f) ver   fotografia

2. O que combina com o quê? Relacione.

a) mesa de bar   sombra e água fresca
b) praia   conversa comprida
c) caminhada   areia
d) Fórmula 1   goleiro
e) jogo de futebol   cansaço
f) rede   acidente

3. O que combina com o quê? Relacione.

a) fazer piquenique   ter ressaca no dia seguinte
b) dançar   comer formiga
c) ficar no bar, numa roda de amigos   gastar dinheiro
d) passear no shopping   ai! meu pé!
e) tomar sol na praia   dizer "x"
f) tirar foto   virar pimentão

Relacione as duas colunas

Linguagem Popular

a) Eu num vô <u>tê</u> tempo   Olhe!
b) Eu <u>vô</u> com você   de você
c) <u>Ó</u>!   para você
d) Mãe, não <u>tem</u> café   verbo <u>ir</u>
e) É <u>procê</u>   verbo <u>estar</u>
f) Eles <u>tão</u> aqui   verbo no Infinitivo
g) <u>Cadê</u> meus <u>livro</u>?   onde está?
h) Pega! É <u>docê</u>   <u>r</u> em vez de <u>l</u>
i) Mais baixo. Cê tá falano <u>arto</u> demais   singular pelo plural
j) As <u>fro tão bonita</u>.   verbo com sentido de <u>haver</u>

B1   3. Linguagem popular

1. Indique o sentido das interjeições abaixo.

1. Oba!   preocupação
2. Tomara!   dor
3. Ai!   alegria
4. Droga!   impaciência, irritação
5. Epa!   desejo
6. Xi!   surpresa

2. Com que interjeição você vai completar a frase?

| Ai! | Epa! | Droga! | Xi! | Oba! | Tomara! | Nossa! |

_____! A gasolina acabou.
_____! Lá vem ele de novo, aquele chato!
_____! Você está pisando no meu pé!
_____! Nosso time ganhou!
Tudo vai dar certo. _____!
_____! Que caro!
_____! Acho que estamos fazendo tudo errado!

3. Faça frases iniciadas com interjeições.

Epa! Nós _____
Oba! A festa _____
Droga! Vai _____
Xi! Meu chefe _____
Ele _____. Tomara!
Ai! Meu _____
Puxa! Este carro _____
Nossa! Ninguém _____

C   4. Cursos para suas horas de lazer.

1. Aqui estão diversos anúncios, oferecendo cursos dos mais variados tipos.
Leia <u>todos</u> eles e depois escolha cuidadosamente <u>três</u> que gostaria de fazer em suas horas de lazer.

CASTELHANO. Quem quiser aproveitar as férias para estudar a língua de nossos *hermanos* latino-americanos encontra várias opções por aqui. No dia 2 de janeiro, começa um curso intensivo com duração de dois meses. São quatro aulas de uma hora e meia por semana, de segunda a quinta, das 18h30 às 20h ou das 20h15 às 21h45. Há também programas específicos para executivos, médicos, advogados e outros profissionais liberais, com ênfase no vocabulário de cada área. **Instituto Cultural Brasil-Argentina.** Avenida Brigadeiro Luís Antônio, 2367, 20º andar. Cerqueira César. 287-7027

Hebraico. Boa chance para se iniciar na cultura judaica. Além de ensinar a língua, um grupo de quatro professoras fala sobre costumes e tradições como o Pessach (Páscoa). As aulas começam, no dia 30 e duram quatro semanas, com duas opções de horário (segundas e quartas ou terças e quintas, das 19h às 20h40). Casa de Cultura de Israel. Rua Novo Horizonte, 208, Pacaembu, fone 255-1760.

PERNA DE PAU. Fugindo ao padrão das escolas de arte tradicionais, a Cia Brasileira de Mistéryos e Novidades criou os cursos "Teatro nas alturas" e "Dança nas alturas" em seu Espaço Piscina. A novidade, no caso, são as pernas de pau de até 1,70 metro usadas pelos alunos. Os professores Lígia Veiga (dança) e Bado Todão (teatro) ensinam como se equilibrar e como explorar seu potencial cênico. As aulas de teatro acontecem toda segunda, das 20h às 22 h, e as de dança são às quartas e sextas, das 10h às 12h. **Espaço de Aprendizado Piscina.** Rua Medeiros de Albuquerque, 9-B, Vila Madalena, 815-9832.

Japonês. Já começou a seleção para o curso básico oferecido pela Sociedade Brasileira de Cultura Japonesa, que começa em março. Mesmo quem não sabe uma palavra da língua pode se inscrever. Nesta semana, as provas para avaliar o nível de cada um acontecem na terça (13) e quinta (15), das 15h às 20h. Sociedade Brasileira de Cultura Japonesa. Rua São Joaquim, 381, Liberdade, ☎ 278-1755.

VELA. Quem quer praticar esportes aquáticos no verão pode tentar velejar na Represa de Guarapiranga. A partir de 7 de janeiro, os irmãos Pedro e Luís Rodrigues dão cursos de veleiro e windsurf, com duração de dois finais de semana. As aulas acontecem aos sábados e domingos, das 10h às 13h ou das 14h às 17h. No final, o aluno pratica o que aprendeu na própria escola. É só pagar por um "vale-velejada", que dá direito a usar os barcos e pranchas por dez horas, em dias e horários a escolher. Inscrições a partir do dia 3. BL3. Avenida Robert Kennedy, 4000, Guarapiranga, 541-7028.

ENCADERNAÇÃO. Além de cursos básicos de encadernação, a Oficina das Artes do Livro costuma programar outras atividades relacionadas à arte. Há, por exemplo, aulas de "Montagem e revestimento de porta-retratos", na quinta (dia 1º) e na sexta, das 19h às 21h30; "Impressão artesanal" de 5 a 7 de dezembro, mesmo horário; "Papel pintado a mão", com marmorização e outras técnicas de pintura, dias 8 e 9, das 14h às 17h; "Agenda 1995" oficina que ensina a confeccionar e encadernar uma agenda para uso pessoal, dias 12, 13, 15 e 16, das 19h30 às 21h30. **Oficina das Artes do Livro**, Rua Wizard, 185, Vila Madalena, 212-2051.

Gaita. Normalmente associado ao blues, o instrumento se adequa também a rock, bossa nova ou qualquer outro gênero musical. Pelo menos é o que tenta provar o professor Ronaldo Barros Dias nas aulas oferecidas a partir de quarta (11). Com um programa de três horas semanais (quarta ou sexta, das 19h às 22h), ele garante que em três meses o aluno sai tocando suas primeiras músicas. Alquymia Jam Escola de Música. Avenida Moema, 728, conjunto 3, Moema. ☎ 549-1165.

2. Agora responda. Considerando as suas escolhas, você pode dizer que

A.
1. tem interesses variados
2. é homem de um só interesse
3. na realidade, não se interessa muito por nada.

B.
1. gosta de viver perigosamente
2. foge do perigo como o diabo da cruz
3. prefere atividades mais seguras

C.
1. é do tipo intelectual
2. prefere atividades físicas
3. gosta de brincar

D.
1. é pessoa séria, mas não introvertida
2. é pessoa introvertida por isso prefere atividade que possa desenvolver sozinho
3. é muito sociável e comunicativo

E.
1. gosta do contato com a natureza
2. prefere atividades que não sejam ao ar livre
3. não tem preferência

F.
1. está sempre preocupado com o trabalho por isso escolheu cursos que lhe trarão benefício profissional
2. faz questão de esquecer o trabalho nas horas de lazer
3. não tem preferência

G.
1. é pessoa sofisticada
2. é pessoa essencialmente prática
3. é pessoa excêntrica, diferente

3. Você, com certeza, tem um hobby ou uma habilidade especial. Redija um anúncio, oferecendo-se para dar um curso que alguém gostará de fazer em horas de lazer.

1. Leia os vários recortes de imprensa sobre a morte de Tom Jobim

ADEUS, TOM

O maestro Tom Jobim morreu ontem por volta das 7 horas de parada cardíaca provocada por embolia pulmonar. Ele estava internado no Hospital Mont Sinai, Nova York, desde o dia 5, quando se submeteu a uma cirurgia na bexiga. Sua morte deve ser investigada. O corpo foi transportado ontem à noite em um avião da Varig, com chegada prevista para hoje pela manhã no Rio, onde será velado no Jardim Botânico. O enterro será no cemitério São João Batista. O presidente Itamar Franco enviou mensagem de condolências à família: "Associamos a dor da família neste momento de tristeza para todos nós", diz.

TOM ERA RESPEITADO NO MUNDO TODO

Compositor fez mais pelo Brasil do que várias gerações de diplomatas, políticos e economistas

NELSON MOTTA

O maior compositor brasileiro de todos os tempos, o artista de todos os tempos, o artista brasileiro a desfrutar de maior prestígio e respeito no Exterior, um Gershwin, um Cole Porter, uma personalidade exuberante e fascinante, cheio de inteligência e humor, um mestre e um amigo querido. Tom Jobim fez mais pelo Brasil, pela imagem do Brasil, do que várias gerações de diplomatas, políticos e economistas. Associou o nome do nosso País a uma música nova, diferente, original e sofisticada, ao mesmo tempo intensamente brasileira e de altíssimo padrão internacional. Deu alegria e emoção ao mundo com sua música imortal. Influenciou várias gerações de compositores no Brasil e no mundo. Será impossível no futuro falar da música popular do século 20 sem citar os clássicos populares criados por Tom.

Tom criou seu estilo a partir do impressionismo de Ravel e Debussy, de Cole Porter e Gershwin e do grande cool jazz americano dos anos 50, e de suas raízes brasileiras, principalmente da obra de Ary Barroso. O resultado foi uma música elegante, suave, original, que encantou o mundo.

Talvez pelo seu monumental talento musical, o gênio poético de Tom Jobim é freqüentemente subestimado. Mas ele é criador de letras fantásticas, entre as melhores já feitas em português. Admirador de Carlos Drummond de Andrade e Guimarães Rosa, produziu poesia musical de altíssimo nível em Águas de Março e Botequim. Com excelente inglês, Tom criou também letras extraordinárias como *Two Kites* e *Chansong*. Homem culto, sensível e delicado, deixa amigos e admiradores em dor.

Eterno, Tom deixa o maior legado que um artista brasileiro jamais produziu, deixa lições de vida e brasilidade, deixa vazia sua mesa na Plataforma e inconsoláveis os que tiveram o privilégio de seu amor e sua amizade.

SUA MÚSICA É ELEGANTE, SUAVE E ORIGINAL

TOM, PELOS AMIGOS

Na quinta-feira à tarde, João Gilberto estava alegre. Iria encontrar-se com o cineasta Bernardo Bertolucci, seu fã, que lhe telefonara no dia anterior. A morte de Tom Jobim fez com que João Gilberto cancelasse o encontro. Chorando, ele lembrou o amigo e parceiro de bossa nova:

"Antonio Carlos Jobim era um poeta, um filósofo. Tom era bom. Sabe, um homem bom? Pois é: era Antonio. Tom e bom é a mesma coisa. Divertido, inteligente, tão cheio de sensibilidade. Tom é uma das melhores pessoas que conheci na vida. Dizer assim, "das melhores" , é pouco. Conheci muitas pessoas boas, mas Tom era espetacular. Um escândalo. Nem sei dizer."

O QUE ELE DIZIA

"Ando pensando muito em bicho, porque estou achando o homem uma bobagem, uma chatice".

"Quando me perguntaram: 'O senhor é comunista?', respondi: 'Não, sou violonista.'"

"QUERO MORRER AQUI. É MAIS CONFORTÁVEL MORRER EM PORTUGUÊS. COMO É QUE VOCÊ VAI DIZER PARA O MÉDICO, EM INGLÊS, QUE ESTÁ SENTINDO UMA DOR NO PEITO QUE RESPONDE NA CACUNDA?

"Eu não sou homem de negócios, não tenho apartamentos alugados, nem terrenos. O dinheiro que entra é para a casa, o carro, o uisquinho, a cervejinha".

"Sem mato, ar e bicho não há música".

"A vida é boa; o homem é que insiste em complicá-la".

"Quando eu era garotinho, magrinho e bonitinho, as mulheres saíam correndo de mim. Hoje elas chegam, batem na minha barriga e dizem: 'Ô Tom Jobim, aparece lá em casa, vamos tomar um uísque'."

"Já estou na idade de olhar as garotas de longe. O pior é que você vai ficando velho e as moças cada vez mais bonitas."

"ÀS VEZES ACHO QUE BRASILEIRO NÃO GOSTA DE MÚSICA BRASILEIRA. VEJO PELO MEU FILHO PEQUENO. ELE SÓ GOSTA DE ROCK. O PIOR É QUE EU O ENSINEI A ANDAR PARA A FRENTE, E AGORA, POR CAUSA DESSES PASSOS DO MICHAEL JACKSON, ELE ESTÁ É ANDANDO PARA TRÁS."

"Tenho falado de serra, mato e passarinho. Mas o brasileiro se interessa somente por carro e apartamento".

2. A partir das matérias que você leu, publicadas na imprensa brasileira por ocasião da morte de Tom Jobim, escreva um pequeno texto sobre ele e sobre sua música. Como você o definiria?

6. Duas canções de Tom Jobim

1. Ouça as músicas e complete as letras

Chega de saudade

Vai, minha tristeza
E diz a ela
Que sem ela _____
Diz-lhe numa prece
Que ela regresse
Porque eu não _____
Chega de saudade
A realidade é que

_____

_____
É só tristeza
E a melancolia
Que _____
não sai de mim, não sai
Mas se ela voltar
Se ela voltar

_____

Que coisa _____

Pois há _____ a nadar no mar

Do que _____ que eu darei
Em sua boca
Dentro dos meus braços
Os abraços hão de ser

_____

apertado assim, colado assim, calado assim,
Abraços e beijinhos

E carinhos _____

Que é pra acabar com esse negócio

_____

_____

De você viver assim
Vamos deixar desse negócio

_____

Não quero mais este negócio
De você longe de mim.

Corcovado

Um cantinho, um _____

Este amor, uma _____

Pra fazer feliz

A quem _____

Muita calma pra _____

E ter tempo pra _____

_____ vê-se o Corcovado

O Redentor

_____!

Quero a vida _____

Com você _____

Até o apagar _____

E eu que era triste

Descrente _____

Ao encontrar você eu conheci

_____, meu amor.

2. Indique, na lista abaixo, as característi-cas que você encontrou nas duas canções ouvidas. Você terá, então, as característi-cas principais da música de Tom Jobim em geral.

1. suavidade
2. desejo de viver uma vida simples
3. revolta contra as injustiças do mundo
4. pessimismo
5. temas políticos
6. amor ao Rio de Janeiro
7. saudosismo
8. letra simples
9. temas populares
10. intimismo

1. Faça listas de

5 peças de roupas de verão
5 peças de mobiliário de sala
5 formas de lazer ligado à água
5 sentimentos
5 dores físicas
5 objetos que dão sorte
5 objetos que dão azar
5 tipos de prédio ou edifício
5 objetos feitos de vidro
5 profissões liberais
5 meios de transporte urbano
5 adjetivos para Noel Rosa
5 personagens de lendas brasileiras
5 pontos na paisagem brasileira
5 nomes de artistas brasileiros

2. Relacione

a campainha	os olhos
a bota	a cara
o cinto	chorar
fazer a barba	serviço militar
o baton	os lábios
as mãos	calçar
a cebola	afilhado
cego	as luvas
óculos	a cintura
madrinha	o barulho
soldado	

3. Relacione

a guerra	a madeira
o carpinteiro	o laboratório
a auto-estrada	o criminoso
o, a cientista	a praia
a derrota	o idiota
a areia	o dinheiro
o crime	a velocidade
o passado	o historiador
a dívida	a fumaça
a piada	o fracasso
a chaminé	engraçado
estúpido	o conflito

4. Dê o verbo:

o enfeite	*enfeitar*
o assalto	
a celebração	
o pente	
o apoio	
o lanche	
o mal-entendido	
a manifestação	
a ameaça	

5. Dê o substantivo

exportar	*a exportação*
importar	
solidário	
autêntico	
tender para	
afastar	

6. Dê o adjetivo

a América do Sul   *sulamericano*

a América do Norte   ....

a Europa   ....

a Ásia   ....

a África   ....

o Ocidente   ....

o Oriente   ....

7. Associe idéias

gota	ano novo
palmeira	fim
passo	chuva
princípio	loteria
brindar	praia
rainha	campo
reforma agrária	caminhada
código postal	sujeira
aposta	monarquia
porcaria	endereço

8. Agrupe as palavras por área:

o cotovelo	a febre	o joelho	o comprimido	pálido
as sobrancelhas	o vômito	os nervos	a barriga	a tontura

Saúde

Corpo humano

Quem sabe sabe!

Responda com cuidado! Quanto mais completa a resposta, maior número de pontos você obterá.

O assunto é Folclore   R1

1. Relacione.

a) ovo no telhado
b) gato preto
c) trevo de 4 folhas
d) Santo Antônio
e) 12

( ) azar
( ) casamento
( ) chuva
( ) elefante
( ) sorte

2. Relacione.

a) Iara
b) Saci
c) Lobisomen
d) Curupira

( ) floresta
( ) rio
( ) moleque
( ) 6ª. feira

Pontos:
4 acertos -   4 pontos
6 acertos - 12 pontos
9 acertos - 27 pontos

3. Complete.

a) Não teremos paz enquanto o Saci _____ (estar)

   por perto.

b) Ele não fez nada embora _____ (saber) que

   estava em perigo.

Pontos:
1 acerto -   2 pontos
2 acertos -   8 pontos
3 acertos - 15 pontos

c) O Curupira não faz nada contra o caçador contanto

   que o caçador _____ (respeitar) os animais.

4. Reformule a idéia. Crie uma só frase.

a) Use embora

Ele diz que não acredita em fantasmas, mas tem medo deles.

_____

b) Use para que

Ela não quer que chova no sábado. Ela vai fazer uma simpatia.

_____

Pontos:
1 acerto -   3 pontos
2 acertos - 10 pontos

73

R2   O assunto é Sistema político brasileiro

1. Dê o verbo.

a eleição_____

o voto _____

o governo _____

o representante _____

o candidato _____(-se)

> Pontos:
> 2 acertos - 2 pontos
> 3 acertos - 6 pontos
> 5 acertos - 15 pontos

2. Diga de outro modo, unindo as 2 frases numa só com o uso de cujo, a, os, as.

a. Não gosto deste candidato. As idéias deste candidato são muito antiquadas.

_____

b. A eleição foi anulada. O resultado da eleição não foi correto.

_____

c. O país faz progressos. O governo do país é bom.

_____

> Pontos:
> 1 acerto -   4 pontos
> 2 acertos - 12 pontos
> 3 acertos - 21 pontos

R3   O assunto é Trânsito

1. Identifique as partes numeradas

a) Identifique 5 das partes assinaladas

b) Identifique 8 das partes assinaladas

c) Identifique 11 das partes assinaladas

> Pontos:
> 5 partes -   5 pontos
> 8 partes -   12 pontos
> 11 partes - 20 pontos

2. Complete com o Infinitivo Pessoal.

a) Ele entrou sem nós o _____. (ver)

b) Eu pedi para eles _____. (sair)

Diga de outro modo (orações desenvolvidas).

c) Ele não disse nada <u>por não ter nada para dizer</u>.

_____

d) O Presidente não pode fazer nada <u>sem consultar o Congresso</u>.

_____

> Pontos:
> 2 acertos -   6 pontos
> 3 acertos - 12 pontos
> 4 acertos - 20 pontos

1. Relacione.

vender   jornalista
falar   documentário
comprar e vender anúncio
aprender   ouvinte
ouvir   locutor
desligar   rádio
escrever   jornaleiro

Pontos:
3 acertos - 6 pontos
5 acertos - 15 pontos
7 acertos - 21 pontos

2. Passe para o discurso indireto.

Ele me disse: "Nossa! O que aconteceu? Nunca vi você assim! Entre, sente-se e conte-me tudo!"

_____
_____

Pontos:
20 pontos para resposta
parcialmente certa
40 pontos para resposta
totalmente certa

O assunto é Lazer: arte e esportes   R5

1. Relacione.

mochila   propaganda
folheto   perigo
aventura   trem
trilho   segurança
guia   caminhada
trilha   caminho

Pontos:
2 acertos - 2 pontos
4 acertos - 8 pontos
5 acertos - 15 pontos

2. Relacione.

Noel Rosa   violão
Pixinguinha   chorinho
Tom Jobim   boemia
                Conversa de Botequim
                piano
                Garota de Ipanema
                Carinhoso
                flauta

Pontos:
3 acertos -   3 pontos
6 acertos - 12 pontos
8 acertos - 24 pontos

3. Passe para linguagem coloquial correta.

a. As coisa que nóis comprô era bonita.
b. Os amigo da gente num vai querê trabaiá no sábado.
c. Eles falô que elas tá lá desde ontem.

E o assunto é resultados!

Seu resultado não foi bom? Estude um pouco mais e faça a Revisão outra vez.

Exercícios de audição

Lição 1

D2 O Tejo

O Tejo é mais belo que o rio que corre pela minha aldeia,
Mas o Tejo não é mais belo que o rio que corre pela minha aldeia
Porque o Tejo não é o rio que corre pela minha aldeia.

O Tejo tem grandes navios
E navega nele ainda,
Para aqueles que vêem em tudo o que lá não está,
A memória das naus.

O Tejo desce de Espanha
E o Tejo entra no mar em Portugal.

Toda a gente sabe isso.
Mas poucos sabem qual é o rio da minha aldeia
E para onde ele vai
E donde ele vem.
E por isso, porque pertence a menos gente,
É mais livre e maior o rio da minha aldeia.

Pelo Tejo vai-se para o Mundo.
Para além do Tejo há a América
E a fortuna daqueles que a encontram.
Ninguém nunca pensou no que há para além
Do rio da minha aldeia.

O rio da minha aldeia não faz pensar em nada.
Quem está ao pé dele está só ao pé dele.

Lição 2

D1 O Dia do Pendura

Tradicionalmente, no dia 11 de agosto, em São Paulo, comemora-se o Dia do Pendura. Alunos da Faculdade de Direito da USP - a velha Faculdade do Largo de São Francisco - nessa data entram em restaurantes, comem, bebem e saem ... sem pagar. Mandam "pendurar "a conta. Antigamente, para evitar prejuízos maiores, muitos desses locais permaneciam fechados nesse dia. Hoje em dia, a coisa mudou. O "pendura "é preparado com antecedência e diplomacia. Os estudantes, através de seu grêmio, solicitam ao restaurante um convite para jantar. Tudo muito civilizado. A carta vai, com uma lista de nomes e volta, com a permissão. Tudo muito amável.

Antigamente era diferente. Os alunos da São Francisco entravam num restaurante que não tinha fechado, comiam do bom e do melhor, bebiam e, na hora de pagar a conta, sorriam ... Às vezes, saiam correndo pela porta afora, o garçom atrás.
Há alguns anos, um grande grupo de alunos organizou "um casamento" nos salões do hotel mais luxuoso da cidade. Noiva, noivo, padrinhos, convidados, vestido branco, buquê... Muita elegância ... Caviar, lagosta, vinhos finos, champanha. O bolo, cortesia do hotel! No fim, a conta! Sorrisos, gargalhadas, ameaças, correria. Noivo, noiva, padrinhos, convidados, gerente do hotel, todo mundo foi parar na delegacia. Grande confusão! Os estudantes reclamaram muito: o pessoal do hotel não tinha mesmo senso de humor...

Lição 3

D2 Boletim meteorológico

A Telesp e a Rádio e Televisão Cultura informam a previsão do tempo.
Para amanhã em todo o estado de São Paulo a previsão é de tempo nublado com chuvas e chuviscos, principalmente nas regiões sul e leste do estado, com períodos de melhoria.
Na capital a temperatura vai oscilar entre 13 e 22 graus, no litoral 16 e 24 graus e no interior do estado entre 10 e 26 .

No momento na capital, aqui na Água Branca, 16 graus.
A fotografia do satélite mostra uma frente fria no Atlântico, na altura do litoral de Santa Catarina, Paraná e São Paulo, estendendo-se até o Mato Grosso do Sul.
Uma massa de ar frio provoca declínio de temperatura em todo o Centro-Sul do país, incluindo São Paulo.

Lição 4

D1　No caixa automático

● Puxa vida, como é que isto funciona? Moça, poderia me ajudar. Não estou conseguindo que a máquina funcione.

○ O senhor precisa colocar o cartão magnético na posição certa. Acho que aí deve dar certo.

● É assim? E agora? Eu quero tirar dinheiro, como eu faço?

○ O senhor precisa digitar seu código primeiro.

● Ah, o código. Deixa eu ver, está aqui neste papel... A letra é tão pequena, e eu sem óculos. Dá para a senhora digitar para mim?

○ Claro, deixe-me ver o papel... 34825 ... Pronto.

● Obrigado. Agora... puxa vida, eu fico tão nervoso que eu me atrapalho todo. Está certo assim? Porque não saiu o dinheiro?

○ Precisa esperar um pouco... Estranho, não está saindo... Ah, veja a mensagem. O senhor não tem saldo suficiente. Tente de novo, ponha um valor menor.

● Menor? Tá, eu vou tentar... Agora sim. E agora? Tem mais alguma coisa?

○ Não, é só isso.

● Muito obrigada moça. Nem sei o que eu faria sem a sua ajuda...

Lição 5

D1　Programa de Rádio

São 13 horas na Rádio Ouro Verde, a rádio que abre espaço para o consumidor. Começa agora o nosso "O ouvinte reclama" com Zé Luís no comando do programa.

A 1ª carta de hoje é do publicitário Marco Antonio Mansano, que comprou uma garrafa retornável de 1,5 l de refrigerante, com um objeto estranho dentro. Marco Antonio diz que sem abrir a garrafa, identificou objeto como resíduo de tampa plástica descartável. Ele chamou a empresa e um técnico lhe disse que poderia ser boicote de funcionário descontente. Ele quer uma explicação da empresa.

A produção do programa ligou para a engarrafadora e falou com o senhor Everaldo Pontes, assessor de diretoria da empresa. Pontes diz que não é normal, mas pode acontecer do lace interno da tampa plástica cair dentro da garrafa. Disse também que o material é o mesmo da tampa e não é prejudicial à saúde. Se entrar em contato com a bebida. Ele informa que vai pedir ao publicitário a garrafa de refrigerante para que uma pesquisa detalhada seja feita por técnicos da engarrafadora. Aí está, Marco Antonio, a resposta que nos foi dada pela empresa. Lembramos a nossos ouvintes que nosso programa é de utilidade pública. Abrimos espaço para a reclamação dos consumidores e concedemos o direito de defesa à outra parte.

A segunda carta ...

Lição 6

D2　Milagres e mandingas do dia de São João.

● Eu não acredito muito nisso, mas me explique, Dona Glória, essa história de São João.

○ Não adianta não querer acreditar. Não adianta. A madrugada do dia 24 não é igual às outras. É especial. É mágica. E! É cheia de simpatias, quase todas para se adivinhar coisas sobre o futuro.

● Tem dó, Dona Glória! A senhora acredita nesse negócio?

○ Claro: Vou te explicar uma simpatia. Se você tiver coragem, coloque um balde cheio de água em frente à uma fogueira de São João. E aí olhe para dentro dele. Se faltar alguma parte do seu rosto no reflexo da água, uma orelha, um olho, parte do nariz, prepare-se porque você não vai estar vivo na festa de São João do ano que vem. Não vai.

● Credo, Dona Glória!

○ Mas tem outras coisas. A moça que quer se casar, deve colocar duas agulhas num prato de água à meia-noite. Se elas amanhecerem juntas, é casamento na certa. Se não, pode desistir porque não tem jeito.

● É tudo muito interessante, mas eu não acredito. Bobagem!

○ E como é que você explica o caso dos que tiram o sapato e atravessam a fogueira sem se queimar?

● Não entendi.

○ Pois é, eles tiram o sapato, ficam descalços e atravessam a fogueira pisando nas brasas.

● Nas brasas?

○ É, nas brasas. E não se queimam. Fazem seus pedidos, rezam para São João e começam a andar em cima das brasas. E não se queimam.

● Mas como?

○ Eu também não sei. Dizem que é porque eles têm fé. Sei lá.

Lição 7

D2 Politiquês

- É uma idéia interessante, mas não sei se concordo com ela.

- A sua idéia é original e vou me lembrar dela

- Talvez faltem informações ao meu oponente, ele não teve a oportunidade de frequentar a universidade.

- Somos a única opção neste momento para o país.

- Ainda falta muito tempo para a eleição e a nossa campanha nem começou direito.

- Não mediremos sacrifícios para podermos chegar ao cargo de presidente e podermos servir ao país.

Lição 8

D2 Linguagem dos sinais

Dividir as ruas e estradas com veículos de grande porte, como ônibus e caminhões, já se tornou um problema para muitos motoristas. Alguns profissionais sem consciência valem-se do tamanho de seus veículos para intimidar os motoristas dos carros, como se fossem donos da rua.

Nas estradas, no entanto, os motoristas de caminhão muitas vezes ajudam outros motoristas, sinalizando para ultrapassagens, informando sobre as condições da estrada, e servindo de guia nos nevoeiros. Mas, para que o motorista possa se beneficiar dessa ajuda, precisa entender os sinais dos caminhoneiros. Esses sinais, aliás, são usados nas estradas por motoristas em geral. Imagine-se, por exemplo, dirigindo numa estrada difícil, com um caminhão lento à sua frente. Se, de repente, o pisca-pisca do caminhão começa a piscar à esquerda, o caminhoneiro está lhe dizendo que não o ultrapasse, pois não há condições. Se ele liga o pisca-pisca para a direita, o caminho está livre para a ultrapassagem.

Em outras ocasiões, veículos que vêm vindo em sentido contrário piscam os faróis duas vezes seguidas. A mensagem é clara: inimigo à frente! Há guardas mais adiante - não faça bobagem!

Às vezes, na correria da estrada, no veículo à sua frente, o farol do freio acende duas vezes e o motorista põe o braço para fora, a mão para baixo. Cuidado! Ele está avisando que vai parar.

Por outro lado, é gostoso ouvir alguém perto de seu carro tocar a buzina duas vezes, rapidamente. Obrigado: é esta a mensagem. Você, provavelmente, foi gentil — deu-lhe passagem talvez — e ele lhe agradece — como antigamente os cavaleiros tiravam o chapéu de plumas e curvavam-se num gesto bonito. Merci, monsieur!

Agora, se no corre-corre da estrada aparece um carro piscando todos os faróis, buzinando feito louco, o motorista agitando os braços, as mãos, os olhos, os pés em todas as direções, então se cuide e saia de frente que o problema é grave.

Se nas ruas da cidade o trânsito é batalha feroz, na estrada geralmente há mais solidariedade.

Lição 9

D2 A Mídia mudando o mundo

Nos velhos tempos, quando um soberano queria se separar da esposa, apenas a repudiava ou mandava decapitá-la. Felizmente os costumes mudaram, de modo que hoje, se Henrique VIII quisesse separar-se de Ana Bolena, teria que ir aos tribunais com seus advogados, em vez de enviá-la ao cutelo com um aceno de mão. O exemplo de célebre ancestral não serve para o Príncipe Charles, homem pacífico e civilizado. No entanto, certamente ele e Lady Diana Spencer prefeririam um processo de divórcio menos rumoroso e acidentado do que aquele que estão vivendo.

Enfim, pagam o preço da celebridade e da pompa medieval de seu casamento, que o mundo não esqueceu. Mas a escandalosa separação do casal tem um exemplar conteúdo pedagógico no sentido de ensinar que o mundo sempre pode mudar.

Aí estão o debate sobre o feminismo e o aborto, a queda do muro de Berlim, o fenômeno dos hippies e a aventura da corrida espacial. Se olharmos para trás, poderemos constatar que, apesar dos sofrimentos e das guerras, temos o privilégio de participar de um fecundo tempo de transformações que prenunciam dias melhores. Quem, na época, poderia imaginar que o pequeno satélite chamado Sputnik, lançado em outubro de 1957, abriria horizontes para as extraordinárias conquistas nas telecomunicações ou que aqueles jovens - agora cinquentões - que usavam flores e falavam de paz e amor nos anos 70 eram arautos da vital luta que se trava hoje pela preservação ambiental.

Para nossa felicidade, tudo marcha.

Lição 10

Chega de saudade

Vai, minha tristeza
E diz a ela
Que sem ela não pode ser
Diz-lhe numa prece
Que ela regresse
Porque eu não posso mais sofrer
Chega de saudade
A realidade é que
sem ela não há paz
Não há beleza
É só tristeza
E a melancolia
Que não sai de mim
não sai de mim, não sai
Mas se ela voltar
Se ela voltar
Que coisa linda
Que coisa louca
Pois há menos peixinhos a nadar no mar
Do que beijinhos que eu darei
Em sua boca
Dentro dos meus braços
Os abraços hão de ser milhões de abraços
apertado assim, colado assim, calado assim,
Abraços e beijinhos
E carinhos sem ter fim

Que é pra acabar com esse negócio
de viver longe de mim
Não quero mais esse negócio
De você viver assim
Vamos deixar desse negócio
de você viver sem mim
Não quero mais este negócio
De você longe de mim.

Corcovado

Um cantinho, um violão
Este amor, uma canção
Pra fazer feliz
A quem se ama
Muita calma pra pensar
E ter tempo pra sonhar
Da janela vê-se o Corcovado
O Redentor
Que lindo!
Quero a vida sempre assim
Com você perto de mim
Até o apagar da velha chama
E eu que era triste
Descrente desse mundo
Ao encontrar você eu conheci
O que é felicidade, meu amor.

Lição 1

1.1 Resposta livre

1.2 **veja bem** - você quer chamar a atenção da pessoa para alguma coisa **bom** - você está ganhando tempo **falando nisso** - você se lembrou de outra coisa relativa ao assunto **mudando de assunto** - você cansou do tema da conversa **aliás** - você se lembrou de outra coisa relativa ao assunto

1.3 Resposta livre

2.1 a) foi descoberto b) foi levada c) são considerados d) será/vai ser entrevistada e) é exportado f) seja lavado g) são esquecidas h) são educadas

2.2 b) As malas podem ser deixadas na recepção. c) Pode-se encontrar ótimas praias no Nordeste. d) Os formulários preenchidos devem ser devolvidos à professora. e) Meu carro tem que ser levado à oficina. f) Míriam quer ser apresentada ao seu irmão.

3 a) aceitado b) expulsas c) aceito d) expulsado e) acendido f) matado g) acesos h) mortas

4 Pica-se a couve; cortam-se as laranjas; cozinha-se o feijão; cozinha-se o arroz; junta-se a carne ao feijão; corta-se a carne; preparam-se a caipirinha e os salgadinhos

5 a) mulher; gorda; tem comido; doce. b) professor; tem estado; cansado; tem dado/vem dando/está dando. c) temos dormido; dez (horas). d) cantor; tem recebido; tem feito.

6 alumiar - b; bruaca - h; bebo - c; enxombrado - f; galego - a; chupado - c; crescer - atacar; lábia - g; não gastar pólvora em chimango - i; passar um pito - e.

7.1 ementa-cardápio; Fato-terno; Empregado de mesa-garçom; água fresca-água gelada; Factura-nota fiscal; Faz favor!-Por favor!

7.3 Pronúncia portuguesa para a expressão "se faz favor"

8.1 Ninguém conhece o rio da aldeia dele

8.2 A palavra nau está se referindo a navio

9 Preciso correr, senão perco o trem; Façam fila de dois, por favor;Te ligo hoje à noite, tá bem?; Chame as crianças para jantar; Onde tem fumaça tem fogo; Passei a tarde olhando vitrinas no centro; Perdi o bonde! Agora vou precisar tomar um táxi; Onde é o banheiro, por favor?; Descul-pem, estou um pouquinho atrasada.

10 **Moradia**: banheira, barraco, bidê, favela, edifício, lareira, colchão, louça; **Trabalho**: barbeiro,ho-mem de negócios, hora extra; **Lugar**: aldeia, bar-raca, o cais, armazém, beco. os arredores, cantina, guichê, largo, cabine, feira, lote; **Vestuário**: bota, colar, chapéu.

11 **leite** engolir, despejar, cheirar, subir; **pedaço de pão**: engolir, embrulhar; **faca**: ferir-se com, embrulhar; **presente**: embrulhar; **dúvida**: ouvir, esclarecer; **suspeito**: ouvir; degrau: subir; **data importante**: festejar; **perfume**: despejar, cheirar; **joelho**: dobrar, ferir-se no; **motocicleta**: ouvir, guiar, subir na; **correspondência**: ler; **banda**: ouvir; **conselho**: ouvir; **inimigo**: lutar contra, ouvir; **disco, CD**: ouvir, quebrar, jogar fora, gravar, enjoar de; **galho de árvore**: quebrar, subir; **ovo**: quebrar, jogar fora, descascar; **bagaço da laranja**: jogar fora; **lista** telefônica: consultar, jogar fora; **muito açúcar no café**: enjoar.

Lição 2

1 **Dentista**: tenha habilidade manual; **Advogado**: tenha facilidade de expressão oral; **Relações públicas**: seja hábil no tratamento com as pessoas/ seja dinâmico/tenha bons contatos; **Médico**: seja responsável/tenha habilidade manual; **Jornalista**: tenha disponibilidade para viajar/bons contatos/ ótimos conhecimentos de línguas estrangeiras; **Analista de sistemas**: tenha talento para matemá-tica; **Político**: seja responsável/tenha facilidade de expressão oral; **Professor**: tenha facilidade de expressão oral/seja hábil no tratamento com as pessoas; **Arquiteto**: tenha talento para desenho; **Agrônomo**: tenha disponibilidade para viajar.

2 curso regular para jovens entre 15 e 17 anos; exame de seleção para admissão à universidade; curso preparatório para a entrada na universidade; lugar disponível; registro de entrada num curso; uma das escolas da universidade.

3.1 b) tenha dinheiro c) queira saber d) saia bem cedo e) saiba dirigir.

3.2 a) tenha muito dinheiro; seja tolerante; goste deles; possa sair à noite. b) conheça bem a cidade; saiba os segredos do carro; veja de longe e ouça bem; seja cuidadoso; tenha carteira de motorista. c) tenha uma máquina fotográfica; conheça a técnica; queira tirar boas fotos; tenha sensibilida-de.

4.1 b) fale c) tenha falado d) sejam e) tenha tido f) tenha g) tenha tido h) possam i) tenham tomado j) façam k) tenham feito

4.2 escrevi; tenho trabalhado; temos tido; tenho feito; fiquei ; deixou

5.1 a) esta; este; estas; isto. b) esses; essas; esses; isso. c) aqueles; aquele; aquela; aquilo.

5.2 isto/este aqui; esse/essa aí; aquilo/aquele ali/lá.

5.3 a) aquela; b) aquilo/isso c) esta d) aquilo e) isto f) aqueles g) Estes h) essas i) isto; isto.

6.2 Resposta livre

7   E; C; C; E; C.

8.1 a) Serviço Nacional de Aprendizagem Industrial
     b) um grupo de industriais c) para treinar o
     pessoal para o trabalho nas fábricas d) no Brasil
     todo

8.2 a) **prof. de ginástica** - saúde, beleza; **fotógrafo** -
     moda, turismo, fotografia; **costureira** - moda;
     digitador - administração financeira e contábil;
     guia de turismo - turismo; **cabeleireiro** - beleza,
     moda; **estilista de moda** - moda; **datilógrafa** -
     administração financeira e contábil; **garçom** -
     hotelaria; **contador**- adm. fin. e contábil;
     cozinheiro - hotelaria; **cursos de inglês** - hote-
     laria, turismo, idiomas; **vendedor** - marketing;
     cursos de treinamento - tecnologia educacional,
     recursos humanos; **maquiador** - beleza, moda
     b) Serviço Nacional de Aprendizagem Comercial

9   **passar** - no exame, no teste, de ano; **receber** - um
     teste, um exame, um diploma; **freqüentar** - as
     aulas, uma escola; **perder** -um teste, um exame,
     um diploma; **faltar** - à aula; **participar** - da
     formatura

10   **matricular-se ...** - fazer a inscrição para um curso;
     formar-se ... - concluir o curso de medicina, de
     direito; **pular...** - cursar a série seguinte àquela
     para a qual se foi aprovado; **a matéria** - aquilo
     que se aprende em um curso; **ser superdotado** -
     ter grande capacidade para aprender; **terminar...**
     concluir a segunda etapa da educação.

11   **Comércio**: encomenda, gorjeta, filosofia, capital,
     camelô, cooperativa, comissão, troco; **Trânsito**:
     buzinar, engarrafamento, bomba de gasolina,
     engenharia; **Escola**: filosofia, certificado, giz,
     ciências, grátis, copiar, cartaz, esferográfica.

12   **escova**: de dentes; **fazer**: as malas, música, sol;
     durar: três dias; **ida**: e volta; **ferro**: de passar;
     cinzento; **dona**: de casa; **língua**: materna; **golpe**:
     de estado; **caber**: na mala; **lava-**: louça; **de**:louça;
     repente; **em vias de**: desenvolvimento; **coleção de**:
     selos; **chamada**: de casa; **céu**: cinzento; **madri-
     nha**: padrinho; **energia solar**: sol; **concorrência**:
     rival; **informática**: computador; **interrompido**:
     incompleto; **comprimento**: centímetros/decíme-
     tros; **carta**: destinatário; **discoteca**: música;
     opinião pública: porta-voz.

Lição 3

1.1 a) sol b) frio/vento c) vento d) tempestade e)
     garoa/chuvinha f) solzinho g) chuvinha/garoa

1.2 a)- Carlinhos, leve a sua malha! - Para quê, mãe?
     Não está frio.- Carlinhos, olhe pela janela. Está
     frio e vai chover. - Ora, eu só vou até a casa da
     Vera. Não preciso de malha!- Como não? E além
     disso, você ainda está com aquela tosse ...- Não
     vai chover, mãe. Tchau, até de noite. - Esse
     menino ... b)- Que tal a gente sair para tomar uma
     cerveja?- Nem pensar! Com este frio quero ficar

em casa.- Frio? Está gostoso! Deve estar fazendo
uns 20° C. - Pra mim está frio. Prefiro não sair. -
Então você vai ficar em casa o tempo todo! - Ou
então volto para Manaus...

1.3 vento; frio; quente; nevar; garoa

2.1 b) Vamos à praia, embora esteja chovendo.
     c) Vamos ao Brasil no verão para que nossos
     filhos aprendam português. d) Se Paula for à festa,
     eu não vou. e) Eu não vou pagar até que receba
     meu livro.

2.2 a) antes b) nem que c) contanto que d) para que
     e) Mesmo que/Ainda que f) a menos que/a não ser
     que/nem que

2.3 b; c; b

3.1 b) Quero uma secretária que trabalhe rápido, fale
     português e seja simpática. c) Quero um livro que
     seja interessante, não seja muito grosso e tenha
     fotos. d) Gostaria de ter um marido/uma mulher
     que tivesse muito dinheiro, fosse bonito/a e
     soubesse cozinhar. e) Quero comer algo que seja
     gostoso, não engorde e venha rápido.

3.2 a) Não há nada que possa levar à festa. b) Não sei
     de ninguém que conheça bem a Amazônia. c) Não
     tenho nenhum livro que mostre fotos de Porto
     Alegre. d) Não conhecemos ninguém que tenha
     casa na praia. e) Não conheço ninguém que tenha
     terminado o curso de português. f) Não sabemos
     de ninguém que tenha ido a Xique-Xique.

3.3 a) conhece b) possa c) ajude d) escreva e) tem

4   **Horizontais**: 1) chuva 2) trovão 3) solzinho 4)
     morno 5) vale 6) inverno 7) montanha. **Verticais**:
     8) úmido 9) outono 10) calor 11) neve 12) verão
     13) ilha

5.1 C; E; E; E; C

5.2 **ilha pequena** - ilhota; **grupo de ilhas** - arquipéla-
     go; **dar um novo nome** - rebatizar; **classe de
     animais que têm mamas** - mamífero; **pôr a hora
     certa no relógio** - acertar o relógio

7   **rápido**: relâmpago, chuva, tempestade, trovão;
     lento: neve; **frio**: neve, chuva; **gelado**: neve;
     quente: ilha, baía; **duro**: rocha; **molhado**:chuva,
     tempestade; **branco**: neve; **grande**: ilha, monta-
     nha, serra, baía; **gostoso**: ilha, baía; **desagradável**:
     chuva, tempestade; **bonito**: neve, ilha, montanha,
     serra, baía; **verde**: ilha, montanha, serra, baía; **útil**:
     chuva, **assustador**: relâmpago, trovão; **perigoso**:
     tempestade, ilha, montanha, serra, baía, relâmpa-
     go; **tropical**: chuva, tempestade, ilha; **pôr**: a mesa;
     vinho: tinto; **garrafa**: vazia; **assar**: o frango;
     pílula: anticoncepcional; **dar conta**: da tarefa;
     conferência: sobre criminalidade; **vencimento**: da
     conta; **vôo**: do pássaro; **margem**: do rio; **interrup-
     tor**: de luz

Lição 4

1.1 b) E indo ao médico? / Que tal você ir ao médico? / Acho que você deveria ir ao médico. c) E deixando-as com a sua irmã? / Que tal deixá-las com a sua irmã? / Acho que poderiam deixá-las com a sua irmã. d) E fazendo um curso de inglês? / Que tal ele fazer um curso de inglês? / Acho que ele deveria fazer um curso de inglês. e) E procurando outro emprego? / Que tal você procurar outro emprego? / Acho que deveria procurar outro emprego.

2 a) impostos b) sacar c) inflação d) depósito e) poupança/economia f) prestações g) economia

3 a) fosse b) conseguisse c) tenha podido d) entendesse e) viesse/tivesse vindo f) tenha passado g) soubéssemos

4 b) Ontem saí antes que a aula tivesse acabado/acabasse. c) Quando saiu da faculdade, ele aceitou o emprego, embora o salário não fosse bom. d) No sábado, eles saíram da festa, sem que nós percebêssemos/tivéssemos percebido. e) No ano passado, Paula não passou nos exames, embora tenha/tivesse estudado muito.

5 a) tire b) conseguisse c) saíssem/tivessem saído d) durma e) pudéssemos/pudéssemos ter feito

6.1 b) tivessem ido c) tivéssemos chegado d) tivesse visitado e) tivesse acabado f) tivéssemos poupado

6.2 b) No fim de semana passado estava cansado, embora durante a semana estivesse de férias. c) Nunca conheci ninguém que tenha/ tivesse ganhado na loteria. d) Até há pouco tempo, algumas pessoas duvidavam que o homem tenha ido à lua. e) Ontem ele não encontrou a nossa casa, embora tenhamos/tivéssemos lhe dado um mapa.

7 talão de cheques; sacar; extrato; conta corrente; depositar; agência; depósito; fila; número da conta; impostos; inflação; juros; economia; dinheiro; real; dólar; pagamento; saldo.

8.1 c)

8.2 C; E;C;C; C

9.1 desenho à direita

9.2 Aumentou o número de roubo de cartões. O roubo é simples. O ladrão oferece ajuda no caixa automático. Ele pega o cartão, pede o código e faz a operação. Depois o ladrão não devolve o cartão da pessoa, mas um outro. Assim pode sacar todo o dinheiro da vítima. Os bancos não podem fazer nada, pois a pessoa deu o código ao ladrão.

10 **Escola:** cursinho, curso, estudos, exame, matrícula, primeiro grau, professor, segundo grau; **Universidade:** carreira, curso, estudos, exame, faculdade, matrícula, professor, vestibular;**Clima:** árido, calor, frio, neve, nuvem, seco, tempestade, temporal; **Geografia:** baía, ilha, rio, serra, vale; **Bancos:** banco, carreira, cartão, conta, depósito, extrato, juros, poupança, saldo, saque, talão de cheques; **Profissão:** administrador de empresas, agrônomo, analista de sistemas, arquiteto, dentista, economista, jornalista, médico, político, professor.

11 1: papelaria; 2: rotisseria; 3: padaria; 4 farmácia; 5: banca de jornais

12 **Frutos do mar:** lagosta, polvo, lula; **Frutas:** pêra, melancia, morango; **Ferramentas:** martelo, pá, tesoura, alicate.

13 **lago:** veleiro; **pó:** espirro; **solitário:** diamante; **mania:** de grandeza; **aquecimento:** inverno; **remetente:** carta; **novidade:** carta; **taça:** champanhe. **apanhar:** um resfriado; **gozar:** férias; **admirar:** uma bela paisagem, as plantas; **molhar:** as plantas; **orgulhar-se:** de um bom trabalho.

Lição 5

1 Exemplos de respostas:"A vida do comerciante depende da situação econômica, de um mercado estável e de uma boa administração. O comerciante precisa saber agradar os clientes. Para se ter retorno financeiro é necessário investir e variar o estoque. O comerciante tem de aprender a trabalhar com o prejuízo.""Considero hotéis bons investimentos. Embora exista uma certa crise no setor, são investimentos bastante estáveis, pois a oferta é relativamente pequena, diante do potencial do mercado de turismo e hotelaria. A clientela é na maioria das vezes nacional, mas existem perspectivas de que a demanda internacional cresça bastante. Diante disso, é preciso investir na formação de pessoal, nos equipamentos e na variedade dos serviços oferecidos""Comecei há pouco tempo a fazer doces e sobremesas para fora. Tomei dinheiro emprestado para poder investir na produção, na variedade de produtos e na criatividade. Dependendo da qualidade do *marketing*, a clientela pode vir a ser bem grande. Gosto mais de trabalhar assim, pois sou independente, tenho um horário flexível e posso trabalhar em casa. Os gastos podem ser minimizados, se souber trabalhar direito. Além disso, os lucros podem ser satisfatórios.

2.1 **quebrar:** liquidificador, microondas, rádio, braço da cadeira, pia, moto, carro, vidro da janela, azulejo, chuveiro, pé da mesa,abajur, cano, computador, banheira, freezer, barco, chuveiro, espelho; **enguiçar:** liquidificador, geladeira, microondas, rádio, moto, chuveiro, computador, freezer; **trincar:** pia, azulejo, vidro da janela, espelho, cano, banheira; **furar:** pia, pneu, azulejo, carpete, papel de parede, cano, banheira, barco, tapete, cortina;**rasgar:** carpete, papel de parede, tapete, cortina; **entupir:** pia, chuveiro, cano, banheira, ralo.

2.2 O carro enguiçou/quebrou. Vou chamar o

mecânico para consertá-lo; O motor da geladeira enguiçou/quebrou/queimou. Vou chamar o técnico para consertá-lo; O vidro da janela quebrou. Vou chamar o vidraceiro para colocar outro; A pia entupiu. Vou chamar o encanador para limpá-la; A máquina de lavar quebrou/enguiçou. Vou chamar o técnico para trocar a peça/consertá-la.

3   a) Amanhã, sem falta. b) Dou minha palavra que devolvo. c) Quando o filme acabar, vou correndo. Juro. d) Tá bom, tá bom, prometo estudar mais! e) Desta vez é sério. Acredite em mim!

4.1   soubesse; quisesse; falasse; contratasse.

4.2   a) Se ela fizesse regime, não se sentiria horrível/estaria com 70 kg. b) Os pais de Bia lhe emprestariam o carro, se ela corresse menos. c) Se não estivesse cansado, iria ao cinema com Selma.

4.3   Se eu tivesse um iate, levaria todos os amigos para um cruzeiro nas Caraíbas; Se eu fosse presidente da república por um dia, daria um grande baile de carnaval; Se eu encontrasse uma mala cheia de dinheiro e jóias, entregá-la-ia à polícia; se eu fosse milionário e não precisasse trabalhar, ocuparia meu tempo com hobbies.

5   Possíveis respostas
Há quanto tempo você está aqui?/Há quanto tempo ele foi embora?; Quando o senhor esteve em Paris?/Há quanto tempo ele foi embora?;O que os bombeiros estão fazendo aqui?; Por que fecharam esta rua?; Há quanto tempo você está aqui?/Há quanto tempo ele foi embora?

6.1   a) Se tivéssemos conseguido entradas, teríamos visto o show do Caetano. b) Se não tivesse ficado doente, Miguel não teria parado de fumar. c) O passeio não teria sido agradável, se tivesse chovido.

6.2   Várias possibilidades - alguns exemplos
Ela não teria me deixado, se lhe tivesse pedido para ficar; Ela não teria me abandonado, se eu sempre lhe dissesse que a amava; Ele não teria saído de casa, se eu soubesse cozinhar; Ele não teria pedido o divórcio, se eu não tivesse jogado fora a coleção de aranhas; etc

7   Respostas livres

8.1   C; E; E; E; C; E

8.2   uma garrafa retornável; havia um objeto estranho; pude constatar; um pedaço; para me queixar; me falou de possível; ainda mais preocupado.

9   Resposta livre

10.2   b-8; c-1; d-4,1; e-2; f-7; g-5; h-6

10.3   a) levaram a sério b) me leve a mal c) disse de brincadeira d) levou a sério os e) falei por mal f) sempre leva na esportiva g) por bem ou por mal h) de propósito.

Revisão

1   resposta livre
2   conheça; escreva; seja.
3   venha; tenha.
4   recebido; lido; concordado; sentido; ficado.
5   tenham lido.
7   aquela ali; este aqui/aquele ali/lá.
8   vendas; urbanismo, construção; desenho, projetos.
10   estudar, aprender, ensinar, instruir, formar, gazetear etc.
11   Gostaria de fazer um curso de árabe. A senhora poderia dizer-me qual a duração do curso, qual o método adotado, quais os horários e o custo de cada estágio?
12   faça sol/bom tempo.
13   reposta livre
15   mas/porém
16   Não vou a essa festa nem/mesmo que me peçam de joelhos.
17   que eu saiba, que ele/a/você saiba, que nós saibamos, que eles/elas/vocês saibam.
19   que eu saia, que ele/a/você saia, que nós saiamos, que eles/elas/vocês saiam.
20   Respostas livres no presente do subjuntivo.
21   Não, nunca conheci ninguém que estudasse sânscrito.
22   não há nada que possa fazer
24   reposta livre.
25   molhado/úmido; frio; quente.
26   talão; saldo; poupança.
28   se eu fizesse, se ele/ela/você fizesse, se nós fizéssemos, se eles/elas/vocês fizessem.
29   E se você fosse ao dentista?; Acho que você deveria ir ao dentista.
30   perdoasse/desculpasse.
31   deixasse
33   fôssemos
36   pagar; sacar; negociar
37   tenha saído
38   Fiquei surpreso que José tenha tomado uma decisão tão radical./Fiquei surpreso por José ter tomado uma decisão tão radical.
39   se eu tivesse sabido, se ele/ela/você tivesse sabido, se nós tivéssemos sabido, se eles/elas/vocês tivessem sabido.
40   tenhamos/tivéssemos avisado
42   vidraceiro; técnico; marceneiro
43   quebra/enguiça; vir
45   Prometo...; Juro...; Confie...
46   ter prejuízo; perder; sacar/retirar
48   Se vocês explicarem/explicassem/tivessem explicado o problema tudo vai ficar/ficaria/teria ficado mais fácil.
49   Se Jackson não tivesse tido um grave acidente no ano passado, não teria parado de dirigir.
50   teríamos acabado
53   Na minha opinião...; Acho que...; Acredito que...
54   entende
55   Há
56   houve
58   Infelizmente ele está muito ocupado.
59   Agora não vai ser possível, passe mais tarde/amanhã.

Lição 6

1.1 a) Na opinião dele não dá azar passar por baixo de uma escada. b) Todo mundo é de opinião que é melhor não dar atenção a superiores. c) Para mim/ Na minha opinião não há mais perigo no mês de agosto. d) Todo mundo é de opinião que há muitos fatos sem explicação. e) Na minha opinião/Para mim ele não era supersticioso.

1.2 1) Não sei não.../Acho que não(sim); 2) Mais ou menos/Não tenho opinião a respeito; 3) Não tenho muita certeza.

1.3 1) Para mim não faz diferença alguma; 2) Não acho nada/Sei lá; 3) Não ligo para isso/Pode crer.

3.1 a) tivermos b) puder c) quiser d) vier e) estiver f) soubermos

4 a) esteve b) chove c) forem d) tenho e) tiver f) tinha

5.1 a) o filme tiver terminado b) tiver lido os jornais c) tiver tomado um cafezinho d) tiverem feito um bom trabalho e) tiver demolido as casas

5.2 Respostas livres

5.3 1) tiver 2) tenha 3) aumente 4) chegue 5) tenhamos

5.4 a) Eu lerei as notícias para quem quiser ouvir. b) Virgínia levou embora todos os documentos que lhe dei. c) Marina convidou todas as pessoas que ela quis. d) Todo mundo ajudará aqueles que precisarem de ajuda.

5.5 a) quiser b) achar/quiser/puder c) quiserem/ estiverem d) puder/quiser e) estiver/puder/quiser f) trouxer/quiser

6.1 1) Antes de expulsar os garimpeiros... saíssem de suas terras.2) Eles tinham começado a construir... na região. 3) De bucólico... de terror. 4)... uma velha espingarda e um revólver 38. 5) O líder da comunidade... muito reduzidas."

6.2 Respostas livres

7.1 Respostas livres

7.2 Respostas livres

8.1 **Balde**: deve ser colocado cheio de água perto de uma fogueira de S.João.... ;**agulhas**: devem ser colocadas num prato de água à meia-noite; **brasas**: deve-se atravessar a fogueira pisando nela.

8.2 E; C; E.

9 Multiplicação; subtração; atenção; compreensão; exploração; suposição; associação; reivindicação; oposição; iluminação; recepção; coragem; capacidade; razão, ausência; ano; desempenho; semelhança; precisão

Lição 7

1 **Presidente**-é eleito pelo voto direto; **Ministro**-é nomeado pelo chefe do governo; **Senado**-uma parte do Congresso; **Chefe de Estado**-no Brasil é o presidente; **Rei**-é o chefe de Estado em monarquias; **República federativa**-país organizado em Estados relativamente independentes

2.1 - A única forma de mudar alguma coisa é votando em candidatos bons. - Você é um otimista: políticos são todos iguais. - Não são não. Existem políticos sérios que se interessam pelo país. - Então dê o nome de um! - Ora, veja por exemplo o candidato do meu partido: é sério, inteligente, honesto, competente... - Que é isso!? Ele nunca teve um cargo, como você pode saber se ele é competente e honesto?! - É fundamental que todos votemos conscientemente. - E por quê? O que importa se eu não voto? Não muda nada! - Tenho certeza que importa! Precisamos finalmente de um presidente sério e para isso temos que votar. - Não existem políticos sérios, e você sabe disso. - Claro que existem. - Então mostre um candidato, cujo programa não seja só blablablá.

2.2 a) E daí? b) Não acho certo/Discordo/Isso é absurdo c) Não acho certo/Discordo/Eu não me importo d) Tanto faz e) Tanto faz/Eu não me importo f) Discordo/Isso é um absurdo

3.1 a) possa b) podemos c) preciso d) estejam e) consigo f) arrume

3.2 a) precisa b) tenha c) seja d) telefone e) reservem f) vão

3.3 a) chova b) conheçamos c) chegue d) vou e) tenha f) dê g) está h) vou

4.1 a) pudesse b) conseguiu c) foi d) fossem e) chegou f) ajudasse

4.2 a) tenha chegado b) fossem c) visitava d) tenha vindo e) tenham trazido

4.3 a) possamos/pudéssemos b) pude c) continuasse d) acabou e) estivesse

5.1 b) deste; Este é o livro sobre o Brasil de que falamos ontem. c) Estas são as fotos de Belo Horizonte que mostrei na minha aula de português. d) para; Este é o meu amigo Leonardo, para quem comprei aquela pinga no Brasil. e) a; Aqueles são meus amigos americanos a quem pertence a casa de Búzios.

5.2 b) As carnes da churrascaria, em que vamos jantar, são conhecidas no Brasil inteiro. c) Roberto Carlos, cujas canções são muito tocadas em toda a América Latina, é um cantor muito conhecido. d) Rui Barbosa, cujos discursos são lembrados até hoje, foi uma figura muito importante na história brasileira. e) A família real brasileira, cujo palácio fica em Petrópolis, ainda sonha com a monarquia.

6 Resposta livre

7.1 **População**: 159 milhões de habitantes em 1990; Distribuição etária da população; 75% da população brasileira mora ...**Trabalho/Economia**: 43,8% da população...; 25% dos trabalhadores...; ... enquanto que em 1994...; Aprovado salário mínimo de US$ 110; A renda per capita em 1993 foi de US$ 3.010 **Saúde/Educação**: A cada ano...; Os homens brasileiros...; Escolaridade dos habitantes...

7.2 Resposta livre

8 a); f); d); b); e); c)

9 levantar; a ligação; forte, forçar; gostoso, gostar; governar; durar; educar; esforçar; exigente, exigir; fácil, facilitar; concluir; estudo, estudar; deitado; cooperar; a curiosidade; caçar; o dia.

10 Agricultura: cana-de-açúcar, trator, soja; Extração mineral: petróleo, prata, ferro; Pecuária: gado, pasto, vacina, rebanho.

Lição 8

1 (3) PARE (1) cruzamento (5) ponte (2) vermelho, amarelo, verde(4) pedestre (7) zona azul (6) lombada

2.1 (3) moto (4) acidente (5) pedágio (1) falta de cartão da zona azul (2) 200 km/h

2.2 **atravessar**: a faixa; **fazer**: conversão proibida; **estacionar**: na contramão; **queimar**: a faixa; **atropelar**: um pedestre; **dirigir**: na contramão, a 100 por hora, pela direita; **obedecer**: a faixa, ao sinal; **ultrapassar**: pela direita, na contramão, a 100 por hora; **pagar**: uma multa

3.1 (1) Em primeiro lugar... (2) Em segundo lugar... (3) Depois, aqui... (4) Finalmente...; (1) Não vou me mudar... (2) Em segundolugar... (3) Depois, porque... (4) Por fim, mudar...

3.2 **Propondo**: E se fizéssemos... Por que não fazer...? Tenho uma idéia. Que tal...? **Respondendo**: É uma boa idéia. Genial! De jeito nenhum! Por que não? Seria ótimo. Não vai dar certo.

4.1 a) saírem b) darmos c) apresentarmos d) vermos e) podermos f) dizermos g) gazerem

4.2 a) termos b) pedirem c) terem d) trancarmos e) terem

5.1 a) Ele não me escreve por não ter meu endereço. b) Ele está sempre cansado por trabalhar muito. c) Ele não vai fazer o negócio sem receber garantias. d) Ele entrou sem ter permissão. e) Ela insiste para entrarmos. f) Vá dormir cedo para estar bem amanhã.

5.2 a) dizer b) diga c) faça d) ouviu e) ouvir

6 a) Tendo tempo, ligue para mim. b) Entrando, me verá. c) Não lendo os jornais, não sabe o que está acontecendo. d) Não liqüidando a conta, pagará uma multa. e) Falando com ele, conte-lhe tudo.

7 a) Acabada a reunião, vamos almoçar. b) Construído o prédio, venderam os apartamentos. c) Resolvido o problema, pensamos em outras coisas. d) Assinado o contrato, começarei a trabalhar. e) Feito o trabalho, poderá ir embora.

8 (Respostas livres)

9 (Respostas livres)

10 1. - Não ultrapasse! ... 2. Vai que dá! ... 3. Polícia Rodoviária ... 4. Agradecimento 5. O veículo à frente ... 6. Situação de ...

11.1 b) o interesse c) a preocupação d) o estacionamento e) a parada f) a garantia g) a limpeza

11.2 b) legal c) livre d) feliz e) social f) pessoal g) perigoso h) sujo

11.3 b) segurado, segurar c) a responsabilidade, responsável d) o respeito, respeitar e) necessário, necessitar f) a resposta, responsável/respondível g) ligado, ligar h) agradável, agradar i) o agradecimento, agradecido j) usado, usar l) a vista/a visão, visível

11.4 1. caipira 2. ouro 3. centímetros 4. banho 5. padeiro 6. saca-rolhas 7. fumaça 8. comício

11.5 1. prego 2. apagador 3. recibo 4. rolha 5. xarope 6. salsicha 7. espuma 8. suor

11.6 1. arte de fabricar ... 2. técnica de produzir ... 3. pequeno aparelho ... 4. objeto usado para iluminação 5. ato de avaliar ... 6. pessoa que realizou... 7. instrumento para medir ... 8. veículo para transportar... 9. lugar em que ...

Lição 9

1.1 Tietê transborda ...: d); DÓLAR: e); PRAIA GRANDE ...: h); A Lua ...: g); Por problemas ...: m);Atenção: o); Assalto a blindado ...: c) PL estuda fusão ...: a)

1.2 a) crimes, sangue, escândalos b) lágrimas, lágrimas... final feliz! c) novela em poucos capítulos d) decoração e) negócios,dinheiro

2 b) Ela está avisando que não vem trabalhar. c) Os alunos estão perguntando se podem sair. d) A esposa está propondo que ele pense melhor. e) O cliente perguntou quanto custava a geladeira.f) A mãe queixou-se de que o filho não queria escutá-la g) O guarda ordenou-me que lhe mostrasse os documentos

3 c) mandar/dizer d) anunciou/avisar e) pedir f) reclamar/dizer g) responder/explicar h) anunciar

4.1 b) perguntou se já tínhamos lido o jornal. c) sugeriu que a visitasse sempre que quisesse. d) disse que essa novela foi a pior que ele já viu. e) mandou-me voltar outra hora/disse-me que voltasse outra hora. f) eu disse que me trouxesse uma pizza quando voltasse g) disse que terminaremos o trabalho nesta semana. h) confirmou que ele esteve muito doente. i) pediu-me para ter um pouco de paciência. j) sugeri que nos encontrássemos na frente do cinema.

4.2 Uma possibilidade é: ... se ele tinha lido o romance de Fausto Costa que estamos querendo adaptar. Ele disse que o leu e o achou interessante, embora tenha dito que via alguns problemas com a história. Perguntei-lhe então que tipo de problemas, pois é uma história de amor bem ao gosto do telespectador. Ele achou que a relação do casal é muito complicada e o ambiente é sofisticado. Disse também que há personagens demais e pediu-me que fizesse uma adaptação e cortasse alguns personagens. Respondi-lhe que vou tentar, mas que na minha opinião uma simplificação reduziria o interesse do público. Disse-lhe também que precisaria falar com Fausto Costa para ver se ele autoriza essa redução. Ele propôs que eu fizesse a adaptação e conversasse com o autor. Disse que voltaremos a falar no projeto, caso ele esteja de acordo.

5   1) e, c, l, m; 2) b, g, h, f, i; 3) j, n, d, o, a

6.1 c; a

6.2 a) C b) C c) C d) C e) C f) C

6.3 Resposta livre

7.1 b)

7.2 1. separação, divórcio 2. dias melhores 3. progresso das comunicações 4. ecologia

8.1 1) defeito pára metrô.... 2) resenha de teatro; entrevista com Chico Buarque 3) cuide de sua pele 4) combate ao gafanhoto; dicas dos bananicultores 5) a aliança...; escândalos; fraude no ... 6) ladrão... 7) eleições no sind. ...; morador impede corte ...8) opinião ... 9) farmácias ... 10) vende-se 11) greves; taxa do dólar 12) casamento do ano 13) assinatura

8.2 1) desenho animado; Escolinha dos gatinhos 2) programa de calouros ...; concurso de calouros 3) Perfil; Conversando com o rei Momo 4) Mesa Redonda ... 5) dublagem; "Idéia ... 6) dublagem;"E o vento ... 7) Corinthians ... 8) Beba ... ; Bom-Bril ... 9) Caetano ... 10) Desfile ... ; As cidades ... 11) Escândalo ... 12) Telecurso; Orquestra de Boston 13) — 14) Horário do PT 15)Cozinha da Ofélia 16) "Gabriela ... 17) "Dallas" 18) Assinatura

8.3 **Frutas:** ameixa, jabuticaba, azeitona, limão, figo, amêndoa, maçã, laranjeira, caju, limoeiro; **Carne:** açougue; **Peixe:** bacalhau, atum, linguado; **Legume:** chuchu, couve-flor, horta; **Doce:** quindim, bolo; **Bebidas:** aguardente, conhaque, limonada, adega, cachaça, álcool, caneca, botequim, chope, licor, brindar

8.4 **Lazer:** atletismo, barraca, jogador, batucada, brincadeira, beira-mar, campismo, divertimento, esqui, descanso, distrair, cassete, passatempo **Corpo humano:** loiro, inflamação, bigode, barba, apetite, curar, infecção, injeção, gravidez, comprimido, costas, fígado, ferimento **Religião:** bispo, Páscoa, cristianismo, capela, cristão, fiel, batizado, freira, fé, padre, pastor, templo

Lição 10

1.1 a) de praia b) de costas c) cooper d) roda de amigos e) fotografia f) ver vitrinas

1.2 a) conversa comprida b) areia c) sombra e água fresca d) acidente e) cansaço f) goleiro

1.3 a) comer formiga b) ai! meu pé! c) ter ressaca ... d) gastar ...e) virar pimentão f) dizer "x"

2   a) verbo no infinitivo b) verbo ir c) Olhe! d) verbo com sent. de haver e) para você f) verbo estar g) onde estão h) de você i) r em vez de l j) r em vez de l/singular pelo plural

3.1 1) alegria 2) desejo 3) dor 4) irritação 5) surpresa 6) preocupação

3.2 Xi!; Droga!; Ai!; Oba!; Tomara!; Nossa!; Epa!

3.3 Respostas livres

4.1 Respostas livres

4.2 Respostas livres

4.3 Respostas livres

5.1 Respostas livres

5.2 Respostas livres

6.1 Corcovado, violão; canção; se ama; pensar; sonhar; Da janela; Que lindo! sempre assim; perto de mim; da velha chama; desse mundo; O que é felicidade, Chega de saudade, não pode ser; posso mais sofrer; sem ela não há paz, Não há beleza; não sai de mim; Que coisa linda; louca; menos peixinhos; beijinhos; milhões de abraços; sem ter fim; de viver longe de mim; Não quero mais esse negócio; de você viver sem mim.

7.1 Sugestões: camisa, camiseta, calção, bermuda, sandália etc.; sofá, poltrona, mesa, luminária, cadeira etc; nado, vela, esqui aquático, mergulho, remo etc.; amor, ódio, simpatia, amizade, inveja etc.; dor de cabeça, dor de dente, dor de ouvido, dor de barriga, dor no pé etc.; figa, amuleto, pé de coelho, galho de alecrim, etc.; espelho quebrado, sapato virado, passar por baixo da escada, gato preto etc.; casa, bangalô, chalé, arranha-céu, igreja etc.; advogado, psicanalista, dentista, médico, arquiteto etc.; ônibus,metrô, bonde, táxi, lotação etc.; poético, magnífico, encantador,brilhante, ótimo etc.; Saci-pererê, Iara, boi-tatá, anhangá, boto etc.; mar, céu, montanha, dunas, florestas etc.; Cândido Portinari, Bidu Sayão, Márcia Haydée, Fernanda Montenegro, Arnaldo Cohen etc.

7.2 **bota**: calçar; **cinto**: cintura; **fazer a barba**: cara; **baton**: lábios; **mãos**: luvas; **cebola**: chorar; **cego**: olhos; **óculos**: olhos, cara; **madrinha**: afilhado; **soldado**: serviço militar

7.3 **carpinteiro**: madeira; **auto-estrada**: velocidade; **cientista**: laboratório; **derrota**: fracasso; **areia**: praia; **crime**: criminoso; **passado**: historiador; **piada**: engraçado; **chaminé**: fumaça; **estúpido**: idiota

7.4 assaltar; celebrar; pentear; apoiar; lanchar; entender mal; manifestar; ameaçar

7.5 a importação; a solidariedade; a autenticidade; a tendência; o afastamento

7.6 norteamericano; europeu; asiático; africano; ocidental; oriental

7.7 **palmeira**: praia; **passo**: caminhada; **princípio**: fim; **brindar**: ano novo; **rainha**: monarquia; **reforma agrária**: campo; **código postal**: endereço; **aposta**: loteria; **porcaria**: sujeira

7.8 **Saúde:** febre, comprimido, pálido, vômito, tontura; **Corpo humano:** cotovelo, joelho, sobrancelhas, nervos, barriga.

Revisão

Folclore

1 a) chuva b) azar c) sorte d) casamento e) elefante

2 a) rio b) moleque c) 6a. feira d) floresta

3 a) estiver b) soubesse c) respeite

4 a) Ele diz que não acredita em fantasmas, embora tenha medo deles. b) Ele vai fazer uma simpatia para que não chova no sábado.

Sistema político

1 eleger; votar; governar; representar; candidatar-se

2 a) Não gosto deste candidato cujas idéias são muito antiquadas.b) A eleição, cujo resultado não foi correto, foi anulada. c) O país, cujo governo é bom, faz progressos.

Trânsito

1 1 - pneu/roda 2 - tanque de gasolina 3 - pisca-pisca 4 - porta-malas 5 - maçaneta 6 - retrovisor externo 7 - pára-brisa 8 - pára-lama 9 - motor 10 - lanterna 11 - farol 12 - pára-choque 13 - placa

2 a) vermos b) saírem c) Ele não disse nada porque não tinha nada para dizer. d) O presidente não pode fazer nada sem que antes consulte o Congresso

Mídia

1 vender - jornaleiro; falar - locutor; comprar e vender - anúncio; aprender - documentário; ouvir - ouvinte; desligar - rádio; escrever - jornalista

2 Ele perguntou-me o que tinha acontecido, disse que nunca tinha me visto daquele jeito. Então convidou-me para entrar e pediu-me que lhe contasse tudo.

Lazer

1 mochila - caminhada; folheto - propaganda; aventura - perigo; trilho - trem; guia - segurança; trilha - caminho

2 **Noel Rosa**: violão, boêmia, "Conversa de botequim" Pixinguinha: chorinho, "Carinhoso", flauta **Tom Jobim**: piano, "Garota de Ipanema", boêmia

3 a) As coisas que compramos eram bonitas. b) Nossos amigos não vão querer trabalhar no sábado. c) Eles falaram que elas estão lá desde ontem.

Vocabulário alfabético

A

a prazo L4A1A2
abalar L9D2
abandono L2C
aborto L9E
abraço L10D2
abundante L6C
acelerar L8B4
acertar L3D1
acerto R1
acionar L9C
acontecimento L1D1
acordado L4B1B2
açougue L9E
acrobacia L3D1
adaptação L9B1B2
adaptado L3D1
adega L9E
adequar L10C
adeus L10D1
adiantado L3D1
administração financeiro e
   contábil L2D2
administração L5A1
administrador de
   empresas L4E
admirar L9E
admirador L10D1
adulterado L9C
adulterar L9C
adulto L8D2
aeromoça Rev
aeroporto L2B2
afastar L10E
afilhadoL10E
afinal L6A3
afinidade L6D1
afirmação L1D2
África L10E
agir L8D2
agradecimento L8D2
agrado L8E
agrônomo L2A1A2
água fresca L10A1
água-com-açúcar L9A1A2
aguardar L5C1
aguardente L9E
agulha L6D2
álcool L9E
aldeia L1E
Alegre L9C
alemão L3B1
alertado L3D1
aliança L9E
aliás L1A1
alicate L4E
aliviada L4D2
alta L4A1A3
alterar L9D1
alternativo L6C
altíssimo L10D1
Alto Paraíso L6C

alto-falante L9B2
altruísta L6D1
ambiental L6C
ambulância L8E
ameaça L10E
ameixa L9E
amêndoa L9E
América do Norte L10E
América do Sul L10E
América Latina L7B4
amizade L10D1
amor Rev
amuleto L6A3
analista de sistemas L4E
analista L2A1A2
anonimato L2D2
anterior L2C
antes que L4B2
anticoncepcional L3E
antigo L2D1
antiquado R2
anulado R2
apagador L8E
apagar L10D2
apaixonar-se L4E
apanhar L4E
apelo L6A2
apertado L10D2
apetite L9E
apoio L10E
aposentar-se L6B3
aposta L10E
aprendizagem L2D2
apropriado L9D1
apurar L9C
aquático L10C
aquecer L3A1A2
aquecimento L4E
aquela L2B3
árabe Rev
aranha L5B3
areia L10A1
armado L6C
armazém L1E
arquipélago L3D1
arrepender L9C
arrepender-se L5B3
arrependimento L5B3
artesanal L10C
artesanato L8E
Ásia L10E
aspirador Rev
assalto L10E
assar L3E
assembléia L4E
assessoria L2D2
assim que L6B3
assinado L2B3
assinalado R3
assinatura L9E
assistente L9B1B2
associar L6E
associado L10C

assustador L3E
astrologia L9A1A2
aterrar L6C
ateu L6C
atingir L3D1
atitude L5B1
Atlântico L3D1
atletismo L9E
ator L9D1
atrapalhar L4D2
atrasar L9C
através L6C
atravessar L1E
atropelamento L8A2A3
atualizado L2D2
atuar L2D2
atum L9E
auditoria L9C
auditório L9E
auge L6C
aumento L6B3
Austrália Rev
autêntico L10E
auto-afirmação L8D2
auto-estrada L10E
autorizar L9B1B2
avançar Rev
azar Rev
azeitona L9E
azul cobalto L3D1

B

bacalhau L9E
bagaço L1E
Baia dos Golfinhos L3D1
baía L3E
balde L6D2
Bali L5A3
bananicultor L9E
bancária L4D2
banda L1E
banheira L1E
banheira L5A2
barata L1B2
barba L9E
barbeiro L1E
barraca L1E
barraco L1E
barriga L10E
barulho L10E
basear-se L2C
básico L3D1
batizado L9E
baton L10E
batucada L9E
beco L1E
beijinho L10D2
beira-mar L9E
Belo Horizonte L7B4
belo L6B3
bexiga L10D1
bicha L1E

bidê L1E
bigode L9E
bilhão L7D1
bispo L9E
blá-blá-blá L7A3
blues L10C
bocadinho L1E
boemia R5
boicote L5D1
boletim L3D2
bolo L9C
bolso L1E
bomba de gasolina L2E
bombeiros L5B2
Bombril L9E
bonitinho L10D1
bossa nova L10C
Boston L9E
bota L1E
botequim L9E
braço da cadeira L5A2
brasa L6D2
brasilidade L10D1
bravo L3D1
brincadeira L1B2
brindar L9E
bronzeador L3A1A2
bruto L7D1
bucólico L6C
Buenos Aires L7B2
buzinar L8D2

C

cabeleireiro L2D2
caber L2E
cabine L1E
caçador R1
cachaça L9E
cachorro Rev
cachorro-quente L8E
cacunda L10D1
caderno L9E
Caetano L5B3
café-com-leite L1D1
caipira L8E
cais L1E
caju L9E
calado L10D2
calamitoso L9C
calção Rev
calçar L10E
calcular Rev
calouro L9E
camelô L5A1
campainha L6E
campismo L9E
cana-de-açúcar L7E
Canadá L4A1A2
caneca L7E
cano L5A2
cansar L1A1
cantina L1E

cantinho L10D2
capela L9E
capital L2E
capítulo L9A1A2
capota L1D1
cara L6A3
Caraíbas L5B1
Carangolas L9C
cardíaca L10D1
carinho L10D2
Carlos Drummond de
 Andrade L10D1
carne L7B4
carpete L5A2
carpinteiro L10E
cartaz L2E
carteira de motorista
 L2B1
carteira L8D2
Casa e Jardim L9A1A2
casal L9B1B2
casas Rev
cassete L9E
cataclismo L6C
cativeiro L9C
católica L6A2
CD L1E
cebola L10E
ceder L8D2
cego L10E
celebração L10E
cemitério L10D1
cênico L10C
centena L6C
centímetro L2E
centro-sul L3D2
cerâmica L8E
cerca L6C
certificado L2E
cervejinha L10D1
ceticismo L6A3
cético L6A3
céu L2E
céu L3D1
chamada L2E
chaminé L10E
chantagem L5A3
chapéu L1E
Charles Darwin L3D1
charuto L8E
chatice L10D1
chave Rev
chefe de estado L7A1A2
chefe do governo
 L7A1A2
chega L5A3
cheirarL1E
chofer L1D1
chope L10A1
chorar L10E
chorinho R5
chuchu L9E
chuveiro Rev
ciências L2E
científico L6D1
cientista L10E
cinto L10E

cinto de segurança L8C
cintura L10E
cinzento L2E
cirurgia L10D1
citar L10D1
clássico L10D1
clientela L5A1
Coca-Cola L5D1
cochilo Rev
código L4D1
código postal L10E
coerente L6A3
colar L1E
colchão L1E
coleção L2E
com licença L1D1
comandante Rev
combate L9E
combinação L8A2A3
cometido L9C
comício L8E
comigo L5E
comissão L2E
competição L8D2
complementar L8D2
complicar L10D1
compreender L8D2
compreensível L5B3
comprimento L2E
comprimido L9E
computação gráfica L2D2
computador L2E
comunidade L6C
comunista L10D1
conclusão L6C
concorrência L2E
concurso L9E
condimento L1D1
condolência L10D1
confeccionar L10C
conflito L8D2
confrontar L6C
confundir L1D1
congresso L7A1A2
conhaque L9E
conscientemente L7A3
conselho L1E
conseqüência L6A3
conservar L5E
constatar L5D1
consultar L1E
conta L3E
conta corrente L4D2
contador L1D1
contanto R1
continente L3D1
contraste L3D1
contratar L5B1
convenção L2D2
conveniente L3D1
Conversa de Botequim R5
convir L7B1
cool jazz L10D1
cooperativa L2E
cópia L8D2
copiar L2E
corajoso L6D1

Corcovado L10D2
corrente L6C
correspondência L1E
corrigir L1E
costas L9E
costas L10A1
cotovelo L10E
couve L1B3
couve-flor L9E
cozinhar L1B3
crença L6C
crescer L4D2
criado L2D2
criador L10D1
crime L9A1A2
criminalidade L3E
criminoso L6C
cristal L6C
cristão L9E
cristianismo L9E
crônica L1D1
cruz L10C
cuidadosamente L5D2
cuidadoso L2B1
cujo R2
culto L6D1
curar L9E
curso de inglês L2D2
curso de treinamento
 L2D2

D

dado Rev
Dallas L9E
daltônico L1D1
dança L10C
dano L8D2
daquele L4D2
dar conta L3E
Darwin L3D1
darwiniana L3D1
datilógrafa L2D2
de maneira que L2E
de repente L3E
debate L2D2
decímetro L2E
declaração L9E
defeito L9E
definido L9C
definir L10D1
delicado L10D1
demanda L5A1
denominar-se L6D1
denúncia L9C
depósito L4A1A3
derrota L10E
desagradável L3E
desajustado L6C
descalço L9C
descansar Rev
descanso L9E
descascar 10E
descrente L10D2
desejar L9C
desenhista Rev
desenvolvido R3

desenvolvimento L2D2
desespero L8D2
desfile L9E
desfrutar L10D1
desgraça L6A3
desmarcar L7B2
desonesto L6C
despejar L1E
despoluído L6C
destinatário L2E
destino Rev
desvantagem Rev
dezena L3D1
dezesseis L7B1
diabo L10C
diálogo L3A1A2
diante L8D2
dicionário L1D1
diferente Rev
dificilmente L1B2
difundir L9D1
digitador L2D2
digitar L4D1
diplomata L6A3
direto L4A1A3
diretoria L9C
disco L1E
discoteca L2E
disponível L2A3A4
disposição L4D2
distinto L6C
distração L9D1
distrair L9E
distribuição L7D1
diverso L5D2
divertimento L9E
dívida L10E
dividir-se L6D1
divulgar L9C
dizer "x" L10A1
dizer de brincadeira L5E
do que L1B1
dobrar L1E
documentário L9E
dólar L9E
domicílio L9E
dominador L6D1
domínio L2A1A2
dor Rev
dossiê L9C
drama Rev
duas L4B3
dublagem L9E
durar L2E
duração L7E

E

E o vento levou! L9E
economicamente L7D1
economista L4E
economizar Rev
ecossistema L6C
edifício L10E
editorial L9E
educativo L9E
efusivamente L4D2

ei L1D1
Einstein L4B1B2
elétrico L1E
eletro-eletrônio L5C1
em vias de
　desenvolvimento L2E
embolia L10D1
embrulhar L1E
emoção L10D1
emotivo L6D1
empregado de mesa L1D1
emprestado L5B1
encadernação L10C
encadernar L10C
encantar L10D1
encomenda L2E
encontrar-se L10D1
encontro L1D1
energético L6C
energia L6D1
energia solar L2E
ênfase L10C
enfeiteL10E
engarrafadora L5D1
engarrafamento L2E
engenharia·L2E
engolir L1E
engordar L3B2
engraçado L10E
enjoar L1E
enseada L3D1
ensinar L10C
entanto L2C
enterro L10D1
entidade L2D2
entrega L9E
epa L10B2
equilibrar L10C
equilíbrio L6C
equipar L5A1
erro L1E
esbarrar L2D2
escaparate L1E
esclarecer L1E
escolaridade L7D1
escolha L8B1
escolinha L9E
esconder L6C
escondido L3D1
escova L2E
escrever L1A2
escrito L8C
esferográfica L2E
esforçar L2D2
esfriar L3A1A2
esmagado L9C
espalhado L2D2
espantar L6A1
especialista L5B1
especiaria L1D1
especificamente L9E
espetacular L10D1
espingarda L6C
espírito L6D1
Espírito Santo L9C
espirro L4E
esportiva L5E

espuma L8E
esquentar L3A1A2
esqui L9E
essa L2B3
Estados Unidos L5E
estilista de modas L2D2
estilo L10D1
estoque L5A1
estranhar L1D1
estrela L9C
estrutura L9C
estudioso L6D1
estúpido L10E
etária L7D1
etc. L1D1
eterno L10D1
Europa L10E
Europa L3C
eventual L8D2
evidentemente L1D1
evolução L2E
ex-funcionário L9C
excelente R5
excêntrico L10C
executivo L9C
expectativa L7D1
explorar L10C
expor L8A4
exportação L9D1
exportar L1B1
exterior L10D1
extorquir L9C
extrair L6C
extraordinária L10D1
extrato L4E
exuberante L10D1

F

fã L10D1
faca L1E
facilidade L2A1A2
facto L1D1
factura L1D1
fala L1A1
falado L9D1
falante L6D1
falar nisso L1A1
falar por mal L5E
falha Rev
falsificado L9C
fantástico L10D1
farol L8D2
farol-alerta L8D2
fascinante L9C
faturar L9C
fauna L6C
favela L1E
favor L6A1
faz favor L1D1
fazer a barba L10E
fazer de propósito L5E
fé L9E
febre L10E
feira L1E
ferimento L9E
ferir-se L1E

Fernando de Noronha
　L3D1
ferro L2E
festejar L1E
festival L3D1
Fidji L5A3
fiel L9E
fígado L9E
figo L9E
figura L7B4
filarmônica L9E
filha L7B4
filme L6B3
filosofia L2E
filosofia L6A3
filósofo L10D1
firma L6B3
fiscal L9C
fiscalização tributária L9C
fita L7D2
flagrante L9E
flexível L5A1
flora L6C
fogueira L6D2
folclore R1
Fórmula 1 L10A1
formulário L1B1
fornecer L4D2
fotografia L2D2
fotográfica L2B1
fotógrafo L2B1
fracasso L10E
frango L3E
fraude L9E
freezer L5A2
freio L8D2
freira L9E
freqüentemente L10D1
fronteira L1E
fulano de tal L5D1
fumaça L8E
fumo L1E
fundamento L9C
fusível L5A2

G

Gabriela, Cravo e Canela
　L9E
gado L7E
gafanhoto L9E
gaita L10C
gajo L1D1
galho de árvore L1E
garantia L8B2
garimpeiro L6C
garoar L3A1A2
Garota de Ipanema R5
garotinho L10D1
garoto L8D2
garrafa L3E
gás L1D1
gastos L5A1
gatinhos L9E
Gazeta Mercantil L9A1A2
gênero L10C
generosa L6D1

gentilmente L4D2
geografia L3D1
geração L10D1
gesto L8D2
ginásio L1D1
giz L2E
goiano L6C
golfinho L3D1
golpe L4D2
golpe de estado L2E
gorjeta L2E
gosto L9B1B2
gota L1E
gozar L4E
grátis L2E
graus L3D2
gravador L5A3
gravar L1E
gravidezL9E
grito L6C
guerra mundial L2D2
guia de turismo L2D2
guia L3D1
guiar L1E
guichê L1E
Guimarães Rosa L10D1
guru L6C

H

hábil L2A1A2
habilidoso L6D1
habilitação L8D2
habitado L3D1
habitat L3D1
hebraico L10C
hermanos L10C
herói L8E
historiador L10E
holandês L3D1
holofote L1B2
homem de negócios L1E
hora extra L1E
horta L9E
hospitalar L7D1
hotelaria L2D2
houver L4D2
humano L2D2
humilhado L8D2
humorado L2D1

I

iate L5B1
ida L2E
idéia perigosa L9E
idiomas L2D2
idiota L10E
ignorância L6A1
ignorante L6C
Ilha de São João L3D1
ilhota L3D1
iluminação L6E
impaciência L10B2
impaciente L2B2
impedir L8D2
importar L10E

Fontes

Textos

pág.7 Extrato do dicionário: Bertrando Bernardino: *Minidicionário de Pernambuquês*

pág. 7 Extrato do dicionário: Zeno Cardoso Nunes e Rui Cardoso Nunes: *Dicionário de Regionalismos do Rio Grande do Sul*

pág. 8 Extrato do dicionário: Mario Prata: *Dicionário de português: Schifaizfavoire: crônicas lusitanas*, 14ª edição, Editora Globo, 1995

pág.9 Texto na fita: *O Tejo*, Fernando Pessoa

pág. 20 Fernando de Noronha. Adaptação de Emma E.O.F.Lima.

pág. 55 O jovem e o carro. Baseado em *Shell Responde 13 - Ele quer a chave. O que fazer?*

pág. 63 Texto na fita: A Mídia mudando o mundo. Adaptação de Emma E. O. F. Lima

pág. 68/69 Textos sobre Tom Jobim. Adaptados do Jornal da Tarde.

Ilustrações

pág.12 No Brasil, razões para abandono da escola. Holger Heix.

pág. 18 Mapa da Bahia. Holger Heix

pág. 21 Mapa do Sudeste do Brasil. Holger Heix

pág. 35/36/37 Jogo: Destino Brasil. Holger Heix

pág. 49 Alguns números sobre o Brasil. Cristián Bergweiler

pág. 74 Carro. Holger Heix

Todas as outras ilustrações: Kaled Kalil Kanbour

Fotos

pág. 20 Fernando de Noronha. Lutz Rohrmann.

pág. 28 Tempero da Vila. Marcos Ferreira da Rosa.

pág. 31 Caetano Veloso. Agência Estado Ltda.

pág. 42 Serra do Cristal. Agência Estado Ltda.

pág. 45 Mulher votando. Agência Estado Ltda.

pág. 45 Muro com propaganda eleitoral. Agência Estado Ltda.

pág. 61 Delegacia. Agência Estado Ltda.

pág. 68 Tom Jobim. Agência Estado Ltda.

Todas as outras fotografias: Cristián Bergweiler

Músicas

pág. 70 Chega de Saudade. © Copyright by Editora e Importadora Musical Fermata do Brasil Ltda. São Paulo.

pág. 70 Corcovado. © Copyright by Jobim Music Ltda. Rio de Janeiro.

Impresso nas oficinas da
EDITORA PARMA LTDA.
Telefone: (011) 6412-7822~
Av. Antonio Bardella, 280
Guarulhos - São Paulo - Brasil
Com filmes fornecidos pelo editor